6학년 **1**

• 분수의 나눗셈 •

지은이의 말

수학은 원리로부터

수학은 구체물의 관계를 숫자와 기호의 약속으로 나타내는 추상적인 학문입니다. 이 점이 아이들이 수학을 어려워하는 가장 큰 이유입니다. 이러한 수학은 제대로 된 이해를 동반할 때 비로소 힘을 발휘할 수 있습니다. 수학은 어느 단계에서나 원리가 가장 중요합니다.

수학 교육의 변화

답을 내는 방법만 알아도 되는 수학 교육의 시대는 지나고 있습니다. 연산도 한 가지 방법만 반복 연습하기 보다 다양한 풀이 방법이 중요합니다. 교과서는 왜 그렇게 해야 하는지 가르쳐 주고 다양한 방법을 생각하도록 하지만, 학생들은 단순하게 반복되는 연습에 원리는 잊어버리고 기계적으로 답을 내다보니 응용된 내용의 이해가 부족합니다.

연산 학습은 꾸준히

유초등 학습 단계에 따라 4권~6권의 구성으로 매일 10분씩 꾸준히 공부할 수 있습니다. 원리와 다양한 방법의 학습은 그림과 함께 재미있게, 연습은 다양하게 진행하되 마무리는 집중하여 진행하도록 했습니다. 부담 없는 하루 학습량으로 꾸준히 공부하다 보면 어느새 연산 실력이 부쩍 늘어난 것을 알 수 있습니다.

개정판 원리셈은

동영상 강의 확대/초등 고학년 원리 학습 과정 강화 등으로 교과 과정을 완벽하게 대비할 수 있도록 원리와 개념, 계산 방법을 학습합니다. 단계별 원리 학습은 물론이고 연습도 강화했습니다.

학부모님들의 연산 학습에 대한 고민이 원리셈으로 해결되었으면 하는 바람입니다.

지은이 천종현

원리쌤의 특징

☑ **원리쌤의 학습 구성**

한 권의 책은 매일 10분 / 매주 5일 / 6주 학습

☑ **원리쌤의 시나브로 강해지는 학습 알고리즘**

초등 원리쌤은

01 원리 이해

02 다양한 계산 방법

03 충분한 연습

04 성취도 확인

시작은 원리의 이해로부터, 마무리는 충분한 연습과 성취도 확인까지

☑ **체계적인 학습 구성**

쉽게 이해하고 스스로 공부!
실수가 많은 부분은 별도로 확인하고 연습!
주제에 따라 실전을 위한 확장적 사고가 필요한 내용까지!
원리로 시작되는 단계별 학습으로 곱셈구구마저 저절로 외워진다고 느끼도록!

원리셈 전체 단계

 ## 키즈 원리셈

 ## 초등 원리셈

초등 원리셈의 단계별 학습 목표

원리와 연습을 모두 잡는 원리셈!!

학년별 학습 목표와 다른 책에서는 만나기 힘든 특별한 내용을 확인해 보세요.

● 1학년 원리셈
모든 연산 과정 중 실수가 가장 많은 덧셈, 뺄셈의 집중 연습
여러 가지 계산 방법 알기
덧셈, 뺄셈의 관계를 이용한 '□ 구하기'의 이해

● 2학년 원리셈
두 자리 덧셈, 뺄셈의 여러 가지 계산 방법의 숙지와 이해
곱셈 개념을 폭넓게 이해하고, 곱셈구구를 힘들지 않게 외울 수 있는 구성
나눗셈은 3학년 교과의 내용이지만 곱셈구구를 외우는 것을 도우면서 곱셈구구의 범위에서 개념 위주 학습

● 3학년 원리셈
기본 연산은 정확한 이해와 충분한 연습
곱셈, 나눗셈의 관계를 이용한 '□ 구하기'의 이해
분수는 학생들이 어려워 하는 부분을 중점적으로 이해하고, 연습하도록 구성

● 4학년 원리셈
작은 수의 곱셈, 나눗셈 방법을 확장하여 이해하는 큰 수의 곱셈, 나눗셈
교과서에는 나오지 않는 실전적 연산을 포함
많이 틀리는 내용은 별도 집중학습

● 5학년 원리셈
연산은 개념과 유형에 따라 단계적으로 학습 후 충분한 연습
약수와 배수는 기본기를 단단하게 할 수 있는 체계적인 구성

● 6학년 원리셈
분수와 소수의 나눗셈은 원리를 단순화하여 이해
비의 개념을 확장하여 문장제 문제 등에서 만나는 비례 관계의 이해와 적용
비와 비례식은 중등 수학을 대비하는 의미도 포함. 강추 교재!!

6학년 구성과 특징

분수와 소수의 나눗셈은 여러 가지 상황에서 원리를 알아보고, 연습은 단순화하여 충분하게 할 수 있도록 했고, 비와 비율은 단순한 연습뿐 아니라 학생들이 어려워 하는 부분을 집중적으로 연습할 수 있도록 구성하였습니다.

원리

원리를 직관적으로 이해하고 쉽게 공부할 수 있도록 하였습니다.

 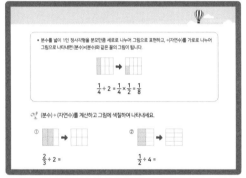

다양한 계산 방법

다양한 계산 방법을 공부함으로써 수를 다루는 감각을 키우고, 상황에 따라 더 정확하고 빠른 계산을 할 수 있도록 하였습니다.

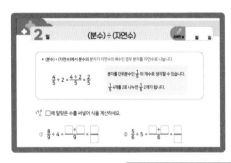 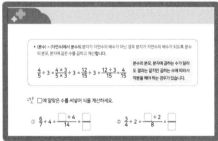

연습

기본 연습 문제를 중심으로 여러 형태의 문제로 지루하지 않게 반복하여 연습할 수 있도록 구성하였습니다.

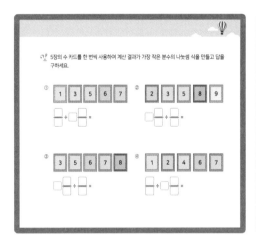

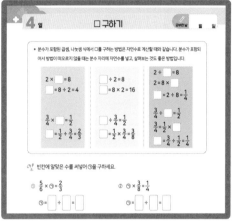

도전! 계산왕

주제가 구분되는 두 개의 단원은 정확성과 빠른 계산을 위한 집중 연습으로 주제를 마무리 합니다.

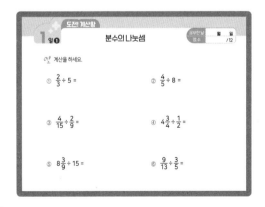

성취도 평가

개념의 이해와 연산의 수행에 부족한 부분은 없는지 성취도 평가를 통해 확인합니다.

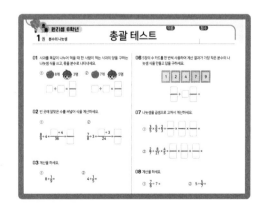

원리셈 100% 활용하기

✔ 책의 사이사이에 학생의 학습을 돕기 위한 저자의 내용을 잘 이용하세요.

📖 단원의 학습 내용과 방향

한 주차가 시작되는 쪽의 아래에 그 단원의 학습 내용과 어떤 방향으로 공부하는지를 설명해 놓았습니다.
학부모님이나 학생이 단원을 시작하기 전에 가볍게 읽어 보고 공부하도록 해 주세요.

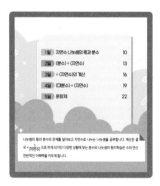

📚 이해를 돕는 저자의 동영상 강의

처음 접하는 원리/개념과 연산 방법의 이해를 돕기 위한 동영상 강의가 있으니 이해가 어려운 내용은 QR코드를
이용하여 편리하게 동영상 강의를 보고, 공부하도록 하세요.

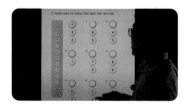

📘 학습 Tip   간략한 도움글은 각 쪽의 아래에 있습니다.

✍ 천종현수학연구소 네이버 카페와 홈페이지를 활용하세요.

카페와 홈페이지에는 추가 문제 자료가 있고, 연산 외에서 수학 학습에 어려움을 상담 받을 수 있습니다.

네이버에서 천종현수학연구소를 검색하세요.

· 1 주차 ·
분수와 자연수의 나눗셈

나눗셈의 몫과 분수의 관계를 알아보고 자연수로 나누는 나눗셈을 공부합니다. 계산은 결국 $\times \dfrac{1}{(자연수)}$ 로 하게 되지만 다양한 상황에 맞는 분수와 나눗셈의 원리 학습은 수와 연산에 대한 전반적인 이해력을 키우게 됩니다.

● 두 가지 상황의 나눗셈을 비교해 봅시다.

병아리 3마리를 두 사람이 똑같이 나누어 가지려고 합니다.

$$3 \div 2 = 1 \cdots 1$$

사과 3개를 두 사람이 똑같이 나누어 먹으려고 합니다.

$$3 \div 2 = 1\frac{1}{2}$$

첫 번째 상황은 한 사람당 병아리를 1마리씩 가지고 병아리 1마리가 남지만, 두 번째 상황은 한 사람당 사과 1개와 절반을 먹으면 됩니다. 이와 같이 끝까지 똑같이 나누어 나머지가 없는 상황이 존재하고 이 때의 몫은 분수로 표시할 수 있습니다.

나눗셈의 몫은 분수에서 분자를 분모만큼으로 똑같이 나눈 것과 같은 개념이므로 분수로 나타낼 수 있습니다.

$$㉠ \div ㉡ = \frac{㉠}{㉡}$$

 사과를 똑같이 나누어 먹을 때 한 사람이 먹는 사과의 양을 분수로 나타내세요.

①

②

귤을 똑같이 나누어 먹을 때 한 사람이 먹는 귤의 양을 구하는 나눗셈식을 쓰고, 몫을 분수로 나타내세요.

① 3개 4명

$$\boxed{} \div \boxed{} = \frac{\boxed{}}{\boxed{}}$$

② 6개 7명

$$\boxed{} \div \boxed{} = \frac{\boxed{}}{\boxed{}}$$

③ 1개 3명

$$\boxed{} \div \boxed{} = \frac{\boxed{}}{\boxed{}}$$

④ 2개 5명

$$\boxed{} \div \boxed{} = \frac{\boxed{}}{\boxed{}}$$

⑤ 3개 5명

$$\boxed{} \div \boxed{} = \frac{\boxed{}}{\boxed{}}$$

⑥ 1개 6명

$$\boxed{} \div \boxed{} = \frac{\boxed{}}{\boxed{}}$$

⑦ 2개 3명

$$\boxed{} \div \boxed{} = \frac{\boxed{}}{\boxed{}}$$

⑧ 8개 5명

$$\boxed{} \div \boxed{} = \frac{\boxed{}}{\boxed{}}$$

⑨ 7개 2명

$$\boxed{} \div \boxed{} = \frac{\boxed{}}{\boxed{}}$$

⑩ 5개 4명

$$\boxed{} \div \boxed{} = \frac{\boxed{}}{\boxed{}}$$

나눗셈의 몫을 분수로 나타내세요.

① 1 ÷ 4 =

② 7 ÷ 8 =

③ 5 ÷ 2 =

④ 9 ÷ 4 =

⑤ 11 ÷ 4 =

⑥ 3 ÷ 10 =

⑦ 8 ÷ 3 =

⑧ 9 ÷ 2 =

⑨ 6 ÷ 5 =

⑩ 10 ÷ 11 =

⑪ 12 ÷ 5 =

⑫ 15 ÷ 22 =

- (분수)÷(자연수)에서 분수의 분자가 자연수의 배수인 경우 분자를 자연수로 나눕니다.

$$\frac{4}{5} \div 2 = \frac{4 \div 2}{5} = \frac{2}{5}$$

분자를 단위분수인 $\frac{1}{5}$ 의 개수로 생각할 수 있습니다.

$\frac{1}{5}$ 4개를 2로 나누면 $\frac{1}{5}$ 2개가 됩니다.

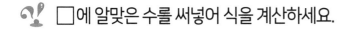

□에 알맞은 수를 써넣어 식을 계산하세요.

① $\frac{8}{9} \div 4 = \dfrac{\square \div \square}{9} = \dfrac{\square}{\square}$

② $\frac{5}{6} \div 5 = \dfrac{\square \div \square}{6} = \dfrac{\square}{\square}$

③ $\frac{6}{7} \div 3 = \dfrac{\square \div \square}{7} = \dfrac{\square}{\square}$

④ $\frac{4}{9} \div 2 = \dfrac{\square \div \square}{9} = \dfrac{\square}{\square}$

⑤ $\frac{8}{3} \div 2 = \dfrac{\square \div \square}{3} = \dfrac{\square}{\square}$

⑥ $\frac{15}{8} \div 3 = \dfrac{\square \div \square}{8} = \dfrac{\square}{\square}$

⑦ $\frac{20}{11} \div 5 = \dfrac{\square \div \square}{11} = \dfrac{\square}{\square}$

⑧ $\frac{21}{25} \div 7 = \dfrac{\square \div \square}{25} = \dfrac{\square}{\square}$

- (분수)÷(자연수)에서 분수의 분자가 자연수의 배수가 아닌 경우 분자가 자연수의 배수가 되도록 분수의 분모, 분자에 같은 수를 곱하고 계산합니다.

$$\frac{4}{5} \div 3 = \frac{4 \times 3}{5 \times 3} \div 3 = \frac{12}{15} \div 3 = \frac{12 \div 3}{15} = \frac{4}{15}$$

분수의 분모, 분자에 곱하는 수가 달라도 결과는 같지만 곱하는 수에 따라서 약분을 해야 하는 경우가 있습니다.

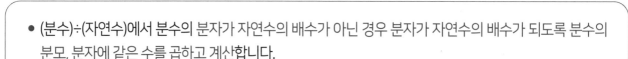 □에 알맞은 수를 써넣어 식을 계산하세요.

① $\dfrac{6}{7} \div 4 = \dfrac{\boxed{} \div 4}{14} = \dfrac{\boxed{}}{\boxed{}}$

② $\dfrac{3}{4} \div 2 = \dfrac{\boxed{} \div 2}{8} = \dfrac{\boxed{}}{\boxed{}}$

③ $\dfrac{5}{8} \div 4 = \dfrac{\boxed{} \div 4}{32} = \dfrac{\boxed{}}{\boxed{}}$

④ $\dfrac{8}{9} \div 3 = \dfrac{\boxed{} \div 3}{27} = \dfrac{\boxed{}}{\boxed{}}$

⑤ $\dfrac{6}{5} \div 9 = \dfrac{\boxed{} \div 9}{15} = \dfrac{\boxed{}}{\boxed{}}$

⑥ $\dfrac{14}{10} \div 4 = \dfrac{\boxed{} \div 4}{20} = \dfrac{\boxed{}}{\boxed{}}$

⑦ $\dfrac{15}{8} \div 6 = \dfrac{\boxed{} \div 6}{16} = \dfrac{\boxed{}}{\boxed{}}$

⑧ $\dfrac{15}{7} \div 10 = \dfrac{\boxed{} \div 10}{14} = \dfrac{\boxed{}}{\boxed{}}$

💡 계산을 하세요.

① $\dfrac{8}{9} \div 2 =$

② $\dfrac{6}{7} \div 3 =$

③ $\dfrac{5}{9} \div 5 =$

④ $\dfrac{9}{13} \div 3 =$

⑤ $\dfrac{9}{10} \div 9 =$

⑥ $\dfrac{8}{9} \div 3 =$

⑦ $\dfrac{5}{7} \div 2 =$

⑧ $\dfrac{6}{11} \div 4 =$

⑨ $\dfrac{14}{9} \div 4 =$

⑩ $\dfrac{13}{6} \div 2 =$

⑪ $\dfrac{12}{7} \div 6 =$

⑫ $\dfrac{14}{3} \div 7 =$

⑬ $\dfrac{9}{2} \div 4 =$

⑭ $\dfrac{15}{4} \div 6 =$

- 3으로 나누는 ÷3은 3으로 나눈 것 중의 1을 나타내는 $\times \frac{1}{3}$ 과 같습니다.

따라서 ÷(자연수)를 $\times \frac{1}{(\text{자연수})}$ 로 고쳐서 계산할 수 있습니다.

$$2 \div 3 = 2 \times \frac{1}{3} = \frac{2}{3} \qquad \frac{3}{4} \div 3 = \frac{\cancel{3}^{1}}{4} \times \frac{1}{\cancel{3}_{1}} = \frac{1}{4}$$

계산을 하세요.

① $3 \div 4 =$

② $\frac{1}{2} \div 3 =$

③ $\frac{2}{3} \div 6 =$

④ $8 \div 9 =$

⑤ $\frac{4}{7} \div 4 =$

⑥ $5 \div 10 =$

⑦ $\frac{4}{5} \div 2 =$

⑧ $6 \div 8 =$

⑨ $\frac{3}{10} \div 9 =$

⑩ $16 \div 20 =$

⑪ $\frac{4}{5} \div 10 =$

⑫ $12 \div 18 =$

⑬ $\frac{11}{15} \div 22 =$

⑭ $\frac{7}{8} \div 7 =$

⑮ $12 \div 36 =$

• 분수를 넓이 1인 정사각형을 분모만큼 세로로 나누어 그림으로 표현하고, ÷(자연수)를 가로로 나누어 그림으로 나타내면 (분수)×(분수)와 같은 꼴의 그림이 됩니다.

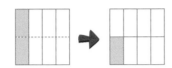

$$\frac{1}{4} \div 2 = \frac{1}{4} \times \frac{1}{2} = \frac{1}{8}$$

 (분수)÷(자연수)를 계산하고 그림에 색칠하여 나타내세요.

①

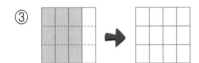

$$\frac{2}{3} \div 2 =$$

②

$$\frac{1}{2} \div 4 =$$

③

$$\frac{3}{4} \div 3 =$$

④

$$\frac{1}{2} \div 3 =$$

⑤

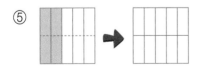

$$\frac{2}{5} \div 2 =$$

⑥

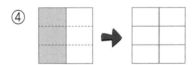

$$\frac{1}{4} \div 4 =$$

🐌 계산을 하세요.

① $4 \div 5 =$

② $\dfrac{1}{2} \div 3 =$

③ $\dfrac{20}{3} \div 5 =$

④ $\dfrac{4}{5} \div 8 =$

⑤ $\dfrac{15}{4} \div 9 =$

⑥ $\dfrac{9}{5} \div 6 =$

⑦ $5 \div 10 =$

⑧ $6 \div 14 =$

⑨ $\dfrac{5}{8} \div 15 =$

⑩ $\dfrac{18}{7} \div 12 =$

⑪ $\dfrac{8}{9} \div 18 =$

⑫ $14 \div 21 =$

⑬ $\dfrac{21}{10} \div 14 =$

⑭ $\dfrac{25}{16} \div 10 =$

⑮ $\dfrac{9}{2} \div 5 =$

⑯ $\dfrac{10}{3} \div 20 =$

⑰ $\dfrac{21}{8} \div 7 =$

⑱ $\dfrac{15}{8} \div 9 =$

- (대분수)÷(자연수)는 대분수를 가분수로 고치고, 자연수는 $\times \dfrac{1}{(자연수)}$ 로 고쳐서 계산할 수 있습니다.

$$4\frac{2}{3} \div 4 = \frac{\overset{7}{\cancel{14}}}{3} \times \frac{1}{\underset{2}{\cancel{4}}} = \frac{7}{6} = 1\frac{1}{6}$$

계산을 하세요.

① $1\dfrac{3}{4} \div 2 =$

② $3\dfrac{1}{5} \div 2 =$

③ $2\dfrac{4}{5} \div 7 =$

④ $2\dfrac{2}{3} \div 5 =$

⑤ $3\dfrac{1}{2} \div 7 =$

⑥ $1\dfrac{3}{8} \div 5 =$

⑦ $4\dfrac{1}{2} \div 9 =$

⑧ $2\dfrac{2}{5} \div 5 =$

⑨ $1\dfrac{5}{9} \div 6 =$

⑩ $1\dfrac{1}{8} \div 3 =$

• 분수를 넓이 1인 정사각형을 분모만큼 세로로 나누어 그림으로 표현하고, ÷(자연수)를 가로로 나누어 그림으로 나타내면 (분수)×(분수)와 같은 꼴의 그림이 됩니다.

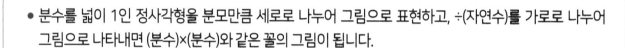

$$1\frac{2}{3} \div 3 = \frac{5}{3} \times \frac{1}{3} = \frac{5}{9}$$

(대분수)÷(자연수)를 계산하고 그림에 색칠하여 나타내세요.

①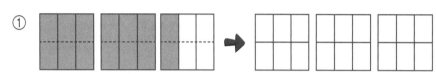

$$2\frac{1}{3} \div 2 =$$

②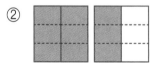

$$1\frac{1}{2} \div 3 =$$

③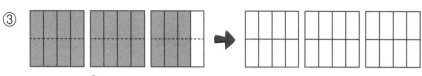

$$2\frac{3}{4} \div 2 =$$

④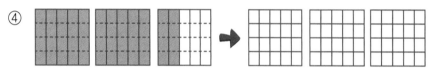

$$2\frac{2}{5} \div 4 =$$

👆 계산을 하세요.

① $1\dfrac{4}{9} \div 2 =$

② $1\dfrac{2}{5} \div 7 =$

③ $3\dfrac{1}{2} \div 6 =$

④ $3\dfrac{3}{7} \div 9 =$

⑤ $2\dfrac{1}{4} \div 4 =$

⑥ $2\dfrac{3}{4} \div 3 =$

⑦ $3\dfrac{4}{7} \div 5 =$

⑧ $1\dfrac{1}{9} \div 4 =$

⑨ $2\dfrac{1}{3} \div 4 =$

⑩ $1\dfrac{3}{5} \div 2 =$

⑪ $1\dfrac{3}{7} \div 6 =$

⑫ $2\dfrac{5}{9} \div 3 =$

⑬ $1\dfrac{5}{8} \div 4 =$

⑭ $1\dfrac{7}{8} \div 8 =$

💡 문제를 읽고 알맞은 식과 답을 써 보세요.

⭐ 어떤 분수를 6으로 나누어야 할 것을 잘못하여 곱했더니 $3\frac{1}{5}$ 이 되었습니다. 바르게 계산한 몫을 기약분수로 구하려고 합니다.

① 어떤 분수를 구하세요.

식 : _____   답 : _____

② 바르게 계산한 몫을 구하세요.

식 : _____   답 : _____

③ 어떤 분수를 9로 나누어야 할 것을 잘못하여 곱했더니 $5\frac{1}{4}$ 이 되었습니다. 바르게 계산한 몫을 기약분수로 구하세요.

식 : _____   답 : _____

④ 어떤 분수를 8로 나누어야 할 것을 잘못하여 곱했더니 $6\frac{2}{3}$ 가 되었습니다. 바르게 계산한 몫을 기약분수로 구하세요.

식 : _____   답 : _____

문제를 읽고 알맞은 식과 답을 써 보세요.

① 2 L 들이의 우유를 3일 동안 똑같이 나누어 마셨습니다. 하루에 마신 우유는 몇 L일까요?

식 : _____   답 : _____ L

② 둘레의 길이가 $\frac{6}{7}$ cm인 정삼각형의 한 변의 길이는 몇 cm일까요?

식 : _____   답 : _____ cm

③ 길이가 $8\frac{1}{6}$ m인 철사를 사용하여 크기가 같은 정칠각형 2개를 만들었습니다. 정칠각형의 한 변의 길이는 몇 m일까요?

식 : _____   답 : _____ m

④ 페인트 4통을 사용하여 넓이가 $5\frac{1}{7}$ ㎡인 벽면을 칠했습니다. 페인트 한 통으로 칠한 벽면의 넓이는 몇 ㎡일까요?

식 : _____   답 : _____ ㎡

🦗 문제를 읽고 알맞은 식과 답을 써 보세요.

① 4 km를 일정한 속력으로 3시간 동안 걸었습니다. 1시간에 몇 km를 걸었을까요?

식 : _____ 답 : _____ km

② 승주네 자동차는 15 km를 가는 데 $1\frac{7}{8}$ L의 기름을 사용하였습니다. 이 자동차로 1 km를 가려면 몇 L의 기름이 필요할까요?

식 : _____ 답 : _____ L

③ 길이가 $4\frac{4}{5}$ cm인 철사를 사용하여 한 변의 길이가 서로 같은 정사각형과 정오각형을 만들었습니다. 두 도형의 한 변의 길이는 몇 cm일까요?

식 : _____ 답 : _____ cm

④ 넓이가 $9\frac{1}{6}$ cm²인 직사각형이 있습니다. 이 직사각형의 가로의 길이가 6 cm일 때 세로의 길이는 몇 cm일까요?

식 : _____ 답 : _____ cm

· **2**주차 ·
분수 나눗셈의 이해

분수로 나누는 나눗셈을 공부합니다. 계산은 $\times\dfrac{(분모)}{(분자)}$ 로 바꾸어 하게 됩니다. 왜 그렇게 계산하는지 알고, 원리를 알면 상황에 따라 원리를 이용해 더 편리하게 계산할 수도 있습니다.

단위분수로 나누기

- 1에서 단위분수를 반복해서 분모만큼 뺄 수 있습니다. 따라서 1을 단위분수로 나누면 몫은 분수의 분모가 됩니다.

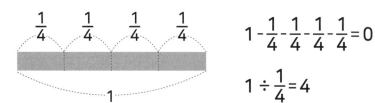

$$1 - \frac{1}{4} - \frac{1}{4} - \frac{1}{4} - \frac{1}{4} = 0$$

$$1 \div \frac{1}{4} = 4$$

계산을 하세요.

① $1 \div \frac{1}{2} =$

② $1 \div \frac{1}{5} =$

③ $1 \div \frac{1}{3} =$

④ $1 \div \frac{1}{9} =$

⑤ $1 \div \frac{1}{6} =$

⑥ $1 \div \frac{1}{7} =$

⑦ $1 \div \frac{1}{8} =$

⑧ $1 \div \frac{1}{10} =$

⑨ $1 \div \frac{1}{12} =$

⑩ $1 \div \frac{1}{11} =$

Tip
분자가 1인 분수를 단위분수라고 합니다.

• 1을 단위분수로 나누면 몫이 분수의 분모이므로 자연수를 단위분수로 나누면 몫은 자연수와 분모의 곱이 됩니다.

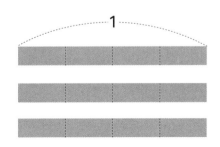

$$3 \div \frac{1}{4} = 3 \times 4 = 12$$

🐛 계산을 하세요.

① $4 \div \frac{1}{3} =$

② $2 \div \frac{1}{8} =$

③ $5 \div \frac{1}{4} =$

④ $7 \div \frac{1}{3} =$

⑤ $3 \div \frac{1}{6} =$

⑥ $2 \div \frac{1}{5} =$

⑦ $5 \div \frac{1}{7} =$

⑧ $9 \div \frac{1}{10} =$

⑨ $6 \div \frac{1}{6} =$

⑩ $8 \div \frac{1}{9} =$

계산을 하세요.

① $2 \div \dfrac{1}{9} =$

② $4 \div \dfrac{1}{4} =$

③ $1 \div \dfrac{1}{5} =$

④ $3 \div \dfrac{1}{6} =$

⑤ $1 \div \dfrac{1}{8} =$

⑥ $2 \div \dfrac{1}{7} =$

⑦ $4 \div \dfrac{1}{5} =$

⑧ $1 \div \dfrac{1}{10} =$

⑨ $2 \div \dfrac{1}{12} =$

⑩ $3 \div \dfrac{1}{7} =$

⑪ $8 \div \dfrac{1}{2} =$

⑫ $9 \div \dfrac{1}{8} =$

⑬ $5 \div \dfrac{1}{15} =$

⑭ $4 \div \dfrac{1}{13} =$

분모가 같은 분수의 나눗셈

12÷3=4의 나눗셈의 의미는 두 가지가 있습니다.

① 12개의 사과를 3개의 접시에 똑같이 나누어 담을 때 한 접시의 사과의 개수를 구하는 나눗셈

② 12개의 사과를 3개씩 접시에 담으면 몇 개의 접시가 필요한지 구하는 나눗셈

● 분수의 나눗셈은 두 번째 나눗셈의 의미로 설명할 수 있습니다. 분자끼리 나누어 떨어지는 나눗셈은 다음과 같이 계산할 수 있습니다.

몫 : 4

$$\frac{8}{9} \div \frac{2}{9} = 8 \div 2 = 4$$

위의 나눗셈을 $\frac{8}{9}$ 길이의 막대를 $\frac{2}{9}$ 길이로 나누는 것으로 생각하면 $\frac{1}{9}$ 8개를 $\frac{1}{9}$ 2개씩 묶어서 빼는 것이 되므로 8÷2와 같은 결과입니다. 즉, 분모가 같은 분수의 나눗셈은 분자끼리의 나눗셈으로 바꾸어 계산할 수 있습니다.

□에 알맞은 수를 써넣어 식을 계산하세요.

① $\frac{3}{4} \div \frac{1}{4} = \boxed{} \div \boxed{} =$

② $\frac{6}{7} \div \frac{3}{7} = \boxed{} \div \boxed{} =$

③ $\frac{8}{9} \div \frac{2}{9} = \boxed{} \div \boxed{} =$

④ $\frac{10}{11} \div \frac{2}{11} = \boxed{} \div \boxed{} =$

⑤ $\frac{14}{15} \div \frac{7}{15} = \boxed{} \div \boxed{} =$

⑥ $\frac{16}{17} \div \frac{4}{17} = \boxed{} \div \boxed{} =$

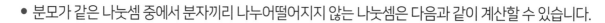

• 분모가 같은 나눗셈 중에서 분자끼리 나누어떨어지지 않는 나눗셈은 다음과 같이 계산할 수 있습니다.

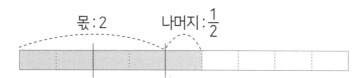

$$\frac{5}{9} \div \frac{2}{9} = 5 \div 2 = 2\frac{1}{2}$$

위의 나눗셈을 $\frac{5}{9}$ 길이의 막대를 $\frac{2}{9}$ 길이로 나누는 것으로 생각하면 $\frac{1}{9}$ 5개를 $\frac{1}{9}$ 2개씩 묶어서 빼는 것이 되므로 5÷2와 같은 결과입니다. 이때 나머지인 $\frac{1}{9}$ 1개는 $\frac{1}{9}$ 2개씩 빼는 것의 $\frac{1}{2}$ 입니다.

즉, 분자가 나누어떨어지지 않더라도 나누어떨어지는 경우와 같이 분자끼리의 나눗셈으로 계산합니다.

□에 알맞은 수를 써넣어 식을 계산하세요.

① $\frac{3}{4} \div \frac{2}{4} = \boxed{} \div \boxed{} =$

② $\frac{5}{6} \div \frac{2}{6} = \boxed{} \div \boxed{} =$

③ $\frac{7}{8} \div \frac{3}{8} = \boxed{} \div \boxed{} =$

④ $\frac{3}{11} \div \frac{10}{11} = \boxed{} \div \boxed{} =$

⑤ $\frac{4}{12} \div \frac{11}{12} = \boxed{} \div \boxed{} =$

⑥ $\frac{13}{15} \div \frac{2}{15} = \boxed{} \div \boxed{} =$

⑦ $\frac{17}{18} \div \frac{7}{18} = \boxed{} \div \boxed{} =$

⑧ $\frac{5}{17} \div \frac{9}{17} = \boxed{} \div \boxed{} =$

🔍 계산을 하세요.

① $\dfrac{2}{3} \div \dfrac{1}{3} =$

② $\dfrac{3}{4} \div \dfrac{2}{4} =$

③ $\dfrac{5}{7} \div \dfrac{3}{7} =$

④ $\dfrac{5}{6} \div \dfrac{2}{6} =$

⑤ $\dfrac{3}{8} \div \dfrac{7}{8} =$

⑥ $\dfrac{8}{9} \div \dfrac{2}{9} =$

⑦ $\dfrac{4}{5} \div \dfrac{2}{5} =$

⑧ $\dfrac{9}{10} \div \dfrac{3}{10} =$

⑨ $\dfrac{11}{12} \div \dfrac{3}{12} =$

⑩ $\dfrac{6}{7} \div \dfrac{3}{7} =$

⑪ $\dfrac{5}{13} \div \dfrac{10}{13} =$

⑫ $\dfrac{14}{15} \div \dfrac{7}{15} =$

⑬ $\dfrac{9}{20} \div \dfrac{1}{20} =$

⑭ $\dfrac{7}{24} \div \dfrac{21}{24} =$

- 분모가 다른 진분수끼리의 나눗셈은 통분을 하면 분모가 같은 진분수끼리의 나눗셈과 같은 방법으로 해결할 수 있습니다.

$$\frac{2}{3} \div \frac{5}{7} = \frac{2 \times 7}{3 \times 7} \div \frac{5 \times 3}{7 \times 3} = \frac{14}{21} \div \frac{15}{21} = 14 \div 15 = \frac{14}{15}$$

분수의 나눗셈을 통분하고 두 자연수의 나눗셈으로 바꾸어 계산하세요.

① $\dfrac{1}{2} \div \dfrac{1}{9} = \dfrac{\square}{\square} \div \dfrac{\square}{\square} = \square \div \square =$

② $\dfrac{9}{10} \div \dfrac{3}{5} = \dfrac{\square}{\square} \div \dfrac{\square}{\square} = \square \div \square =$

③ $\dfrac{4}{5} \div \dfrac{5}{8} = \dfrac{\square}{\square} \div \dfrac{\square}{\square} = \square \div \square =$

④ $\dfrac{7}{14} \div \dfrac{1}{7} = \dfrac{\square}{\square} \div \dfrac{\square}{\square} = \square \div \square =$

⑤ $\dfrac{7}{12} \div \dfrac{4}{7} = \dfrac{\square}{\square} \div \dfrac{\square}{\square} = \square \div \square =$

- 분모가 다른 두 분수를 분모끼리 서로 곱해서 통분하고 다음과 같이 모양을 바꿀 수 있습니다.

$$\frac{2}{5} \div \frac{4}{9} = \frac{2 \times 9}{5 \times 9} \div \frac{4 \times 5}{9 \times 5} = (2 \times 9) \div (4 \times 5) = \frac{2 \times 9}{4 \times 5} = \frac{2 \times 9}{5 \times 4} = \frac{\cancel{2}^{1}}{5} \times \frac{9}{\cancel{4}_{2}} = \frac{9}{10}$$

즉, 분모가 다른 두 분수의 나눗셈은 나누는 분수의 분모와 분자를 바꾸어 곱하기로 계산할 수 있습니다.

$$\frac{2}{5} \div \frac{4}{9} = \frac{\cancel{2}^{1}}{5} \times \frac{9}{\cancel{4}_{2}} = \frac{9}{10}$$

□에 알맞은 수를 써넣어 식을 계산하세요.

① $\dfrac{5}{6} \div \dfrac{10}{11} = \dfrac{\Box}{\Box} \times \dfrac{\Box}{\Box} =$

② $\dfrac{2}{7} \div \dfrac{1}{5} = \dfrac{\Box}{\Box} \times \dfrac{\Box}{\Box} =$

③ $\dfrac{5}{6} \div \dfrac{1}{9} = \dfrac{\Box}{\Box} \times \dfrac{\Box}{\Box} =$

④ $\dfrac{9}{10} \div \dfrac{3}{5} = \dfrac{\Box}{\Box} \times \dfrac{\Box}{\Box} =$

⑤ $\dfrac{3}{8} \div \dfrac{6}{13} = \dfrac{\Box}{\Box} \times \dfrac{\Box}{\Box} =$

⑥ $\dfrac{11}{20} \div \dfrac{7}{10} = \dfrac{\Box}{\Box} \times \dfrac{\Box}{\Box} =$

⑦ $\dfrac{4}{15} \div \dfrac{10}{21} = \dfrac{\Box}{\Box} \times \dfrac{\Box}{\Box} =$

⑧ $\dfrac{16}{25} \div \dfrac{12}{35} = \dfrac{\Box}{\Box} \times \dfrac{\Box}{\Box} =$

계산을 하세요.

① $\dfrac{2}{9} \div \dfrac{8}{15} =$

② $\dfrac{1}{4} \div \dfrac{2}{3} =$

③ $\dfrac{3}{5} \div \dfrac{3}{7} =$

④ $\dfrac{1}{6} \div \dfrac{3}{4} =$

⑤ $\dfrac{7}{9} \div \dfrac{1}{12} =$

⑥ $\dfrac{5}{8} \div \dfrac{15}{16} =$

⑦ $\dfrac{13}{15} \div \dfrac{3}{5} =$

⑧ $\dfrac{9}{16} \div \dfrac{12}{13} =$

⑨ $\dfrac{9}{10} \div \dfrac{6}{25} =$

⑩ $\dfrac{7}{20} \div \dfrac{14}{15} =$

⑪ $\dfrac{16}{21} \div \dfrac{4}{7} =$

⑫ $\dfrac{11}{24} \div \dfrac{11}{16} =$

⑬ $\dfrac{27}{40} \div \dfrac{3}{20} =$

⑭ $\dfrac{32}{45} \div \dfrac{8}{15} =$

동영상 해설

- (자연수)÷(분수)의 계산은 자연수를 가분수로 만들어서 분수와 분수의 나눗셈으로 생각할 수 있습니다.

$$6 \div \frac{2}{5} = \frac{6 \times 5}{5} \div \frac{2}{5} = \frac{30}{5} \div \frac{2}{5} = 30 \div 2 = 15$$

위 계산 과정에서 분모는 통분한 다음에 사라지기 때문에 분자의 계산만 간단히 나타내면 다음과 같습니다.

$$6 \div \frac{2}{5} = 6 \times 5 \div 2 = (6 \div 2) \times 5 = 15$$

이 방법으로 자연수가 나누는 분수의 분자로 나누어떨어질 때 편리하게 계산할 수 있습니다.

❓ □에 알맞은 수를 써넣어 식을 계산하세요.

① $9 \div \frac{3}{5} = (\boxed{} \div \boxed{}) \times \boxed{} =$

② $15 \div \frac{5}{9} = (\boxed{} \div \boxed{}) \times \boxed{} =$

③ $8 \div \frac{2}{7} = (\boxed{} \div \boxed{}) \times \boxed{} =$

④ $21 \div \frac{7}{8} = (\boxed{} \div \boxed{}) \times \boxed{} =$

⑤ $12 \div \frac{3}{4} = (\boxed{} \div \boxed{}) \times \boxed{} =$

⑥ $10 \div \frac{2}{5} = (\boxed{} \div \boxed{}) \times \boxed{} =$

⑦ $20 \div \frac{4}{11} = (\boxed{} \div \boxed{}) \times \boxed{} =$

⑧ $16 \div \frac{4}{9} = (\boxed{} \div \boxed{}) \times \boxed{} =$

- (자연수)÷(분수)의 계산 과정에서 ÷(분자)를 ×$\dfrac{1}{(분자)}$로 고치면 다음과 같이 나타낼 수 있습니다.

$$6 \div \dfrac{4}{5} = (6 \div 4) \times 5 = 6 \times \dfrac{1}{4} \times 5 = \overset{3}{6} \times \dfrac{5}{\underset{2}{4}} = \dfrac{15}{2} = 7\dfrac{1}{2}$$

즉, (자연수)÷(분수)에서 나누는 분수의 분모와 분자를 바꾸어 곱해 계산할 수 있습니다.

$$6 \div \dfrac{4}{5} = \overset{3}{6} \times \dfrac{5}{\underset{2}{4}} = \dfrac{15}{2} = 7\dfrac{1}{2}$$

$\square$에 알맞은 수를 써넣어 식을 계산하세요.

① $5 \div \dfrac{2}{3} = \square \times \dfrac{\square}{\square} = $

② $4 \div \dfrac{5}{8} = \square \times \dfrac{\square}{\square} = $

③ $2 \div \dfrac{3}{5} = \square \times \dfrac{\square}{\square} = $

④ $6 \div \dfrac{4}{5} = \square \times \dfrac{\square}{\square} = $

⑤ $10 \div \dfrac{4}{9} = \square \times \dfrac{\square}{\square} = $

⑥ $12 \div \dfrac{5}{8} = \square \times \dfrac{\square}{\square} = $

⑦ $15 \div \dfrac{10}{11} = \square \times \dfrac{\square}{\square} = $

⑧ $10 \div \dfrac{2}{7} = \square \times \dfrac{\square}{\square} = $

계산을 하세요.

① $3 \div \dfrac{4}{7} =$

② $4 \div \dfrac{6}{7} =$

③ $6 \div \dfrac{8}{5} =$

④ $8 \div \dfrac{2}{9} =$

⑤ $10 \div \dfrac{2}{7} =$

⑥ $5 \div \dfrac{10}{12} =$

⑦ $8 \div \dfrac{4}{5} =$

⑧ $9 \div \dfrac{12}{13} =$

⑨ $2 \div \dfrac{9}{10} =$

⑩ $12 \div \dfrac{9}{11} =$

⑪ $16 \div \dfrac{9}{5} =$

⑫ $14 \div \dfrac{12}{5} =$

⑬ $12 \div \dfrac{15}{16} =$

⑭ $10 \div \dfrac{8}{11} =$

🐌 문제를 읽고 알맞은 식과 답을 써 보세요.

⭐ 재훈이는 종이배 1개를 접는 데 $\frac{1}{30}$ 시간 걸립니다. 하루에 2시간씩 4일 동안 종이배를 접으면 종이배 몇 개를 만들 수 있는지 구해 봅시다.

① 4일 동안 종이배를 접는 데 걸린 시간은 몇 시간일까요?

식 : _____   답 : _____ 시간

② 4일 동안 접을 수 있는 종이배는 몇 개일까요?

식 : _____   답 : _____ 개

③ 자동차 공장에서 $\frac{4}{9}$ 시간에 1대씩의 자동차를 생산합니다. 이 공장이 8시간 동안 만들 수 있는 자동차는 몇 대일까요?

식 : _____   답 : _____ 대

④ 넓이가 $\frac{5}{6}$ ㎡인 나무를 색칠하는 데 $\frac{2}{3}$ L의 페인트를 사용했습니다. 같은 방법으로 1 ㎡를 색칠하는 데 필요한 페인트는 몇 L일까요?

식 : _____   답 : _____ L

🐛 문제를 읽고 알맞은 식과 답을 써 보세요.

① 리본 6 m를 한 사람에게 $\frac{3}{7}$ m씩 나누어 주려고 합니다. 몇 명에게 나누어 줄 수 있을까요?

식 : _____   답 : _____ 명

② 수도관 $\frac{9}{4}$ m의 무게가 $\frac{9}{2}$ kg입니다. 이 수도관 1 m의 무게는 몇 kg일까요?

식 : _____   답 : _____ kg

③ 1분에 $\frac{8}{3}$ L의 물이 나오는 수도로 20 L의 수족관에 물을 가득 채우려면 몇 분이 걸릴까요?

식 : _____   답 : _____ 분

④ 넓이가 $\frac{6}{5}$ cm²인 삼각형의 밑변이 $\frac{3}{10}$ cm일 때 삼각형의 높이는 몇 cm일까요?

식 : _____   답 : _____ cm

🐌 문제를 읽고 알맞은 식과 답을 써 보세요.

① $\frac{4}{3}$ km를 걷는 데 $\frac{2}{5}$ 시간 걸렸습니다. 같은 빠르기로 1 km를 걷는 데 몇 시간이 걸릴까요?

식 : _____ 답 : _____ 시간

② 밭에 감자를 $\frac{8}{15}$ ㎡ 심었고, 고구마를 $\frac{16}{3}$ ㎡ 심었습니다. 감자를 심은 밭의 넓이는 고구마를 심은 밭의 넓이의 몇 배일까요?

식 : _____ 답 : _____ 배

③ 무게가 $\frac{16}{9}$ kg인 콩을 $\frac{4}{18}$ kg씩 나누어 주면 몇 명에게 나누어 줄 수 있을까요?

식 : _____ 답 : _____ 명

④ 밀가루 $\frac{21}{4}$ kg을 한 봉지에 $\frac{7}{12}$ kg씩 담으려고 합니다. 필요한 봉지는 몇 개일까요?

식 : _____ 답 : _____ 개

3주차

분수 나눗셈의 계산

앞서 다양한 원리와 함께 배웠던 분수의 나눗셈을 총 연습하는 단원입니다. 나눗셈은 분모, 분자를 바꾸어 곱셈으로 고쳐서 계산할 수 있음을 확인하고, 여러 가지 응용 문제를 해결하면서 계산 연습을 병행합니다.

- 분수의 나눗셈은 분모, 분자를 서로 바꾸어 곱셈으로 고칠 수 있습니다. 자연수도 분모가 1인 분수로 생각하여 나눗셈을 곱셈으로 고칠 수 있습니다.

$$\bigcirc \div \frac{5}{7} = \bigcirc \times \frac{7}{5} \qquad \bigcirc \div 6 = \bigcirc \times \frac{1}{6}$$

빈칸에 알맞은 수를 써넣으세요.

① $\bigcirc \div \dfrac{2}{5} = \bigcirc \times \boxed{}$

② $\bigcirc \div \dfrac{4}{7} = \bigcirc \times \boxed{}$

③ $\bigcirc \div 3 = \bigcirc \times \boxed{}$

④ $\bigcirc \div \dfrac{9}{4} = \bigcirc \times \boxed{}$

⑤ $\bigcirc \div \dfrac{5}{3} = \bigcirc \times \boxed{}$

⑥ $\bigcirc \div \dfrac{5}{6} = \bigcirc \times \boxed{}$

⑦ $\bigcirc \div 7 = \bigcirc \times \boxed{}$

⑧ $\bigcirc \div 2 = \bigcirc \times \boxed{}$

⑨ $\bigcirc \div \dfrac{19}{5} = \bigcirc \times \boxed{}$

⑩ $\bigcirc \div \dfrac{9}{5} = \bigcirc \times \boxed{}$

• 분수의 나눗셈은 곱셈으로 고친 다음 약분을 먼저 한 후 분자끼리, 분모끼리 곱하는 것이 간편합니다.

$$\frac{3}{8} \div \frac{9}{14} = \frac{3}{8} \times \frac{14}{9} = \frac{\overset{7}{\cancel{42}}}{\underset{12}{\cancel{72}}} = \frac{7}{12} \qquad \frac{3}{8} \div \frac{9}{14} = \frac{\overset{1}{\cancel{3}}}{\underset{4}{\cancel{8}}} \times \frac{\overset{7}{\cancel{14}}}{\underset{3}{\cancel{9}}} = \frac{7}{12}$$

🐌 계산을 하세요.

① $\dfrac{2}{9} \div \dfrac{8}{9} =$

② $\dfrac{6}{7} \div 3 =$

③ $5 \div \dfrac{5}{8} =$

④ $\dfrac{16}{5} \div \dfrac{4}{10} =$

⑤ $\dfrac{8}{9} \div \dfrac{2}{15} =$

⑥ $\dfrac{1}{2} \div \dfrac{13}{6} =$

⑦ $\dfrac{9}{10} \div \dfrac{3}{4} =$

⑧ $4 \div \dfrac{12}{13} =$

⑨ $\dfrac{5}{12} \div 10 =$

⑩ $\dfrac{9}{14} \div \dfrac{2}{21} =$

계산을 하세요.

① $2 \div \dfrac{8}{3} =$

② $\dfrac{5}{3} \div \dfrac{5}{6} =$

③ $\dfrac{2}{5} \div \dfrac{4}{5} =$

④ $7 \div \dfrac{21}{2} =$

⑤ $\dfrac{15}{4} \div \dfrac{8}{5} =$

⑥ $6 \div \dfrac{18}{5} =$

⑦ $\dfrac{21}{8} \div \dfrac{7}{3} =$

⑧ $\dfrac{5}{9} \div 10 =$

⑨ $\dfrac{2}{7} \div \dfrac{8}{21} =$

⑩ $\dfrac{25}{6} \div 5 =$

⑪ $\dfrac{49}{10} \div \dfrac{7}{15} =$

⑫ $\dfrac{11}{12} \div \dfrac{11}{3} =$

⑬ $8 \div \dfrac{80}{11} =$

⑭ $\dfrac{14}{25} \div \dfrac{7}{30} =$

대분수가 포함된 나눗셈

- **대분수의 나눗셈은** 대분수를 가분수로 먼저 고치고 분모, 분자를 서로 바꾸어 곱셈으로 고쳐서 계산**합니다.**

$$㉠ \div 3\frac{5}{7} = ㉠ \div \frac{26}{7} = ㉠ \times \frac{7}{26}$$

빈칸에 알맞은 수를 써넣으세요.

① $㉠ \div 1\frac{5}{6} = ㉠ \times \boxed{}$

② $㉠ \div 2\frac{2}{3} = ㉠ \times \boxed{}$

③ $㉠ \div 1\frac{1}{2} = ㉠ \times \boxed{}$

④ $㉠ \div 3\frac{7}{8} = ㉠ \times \boxed{}$

⑤ $㉠ \div 4\frac{2}{3} = ㉠ \times \boxed{}$

⑥ $㉠ \div 2\frac{2}{5} = ㉠ \times \boxed{}$

⑦ $㉠ \div 3\frac{1}{9} = ㉠ \times \boxed{}$

⑧ $㉠ \div 1\frac{7}{8} = ㉠ \times \boxed{}$

⑨ $㉠ \div 2\frac{9}{11} = ㉠ \times \boxed{}$

⑩ $㉠ \div 3\frac{5}{13} = ㉠ \times \boxed{}$

- 대분수를 가분수로 고치면 진분수의 나눗셈과 계산 방법이 똑같습니다.

1) $2\dfrac{1}{6} \div 1\dfrac{3}{8} = \dfrac{13}{6} \div \dfrac{11}{8} = \dfrac{52}{24} \div \dfrac{33}{24} = 52 \div 33 = \dfrac{52}{33} = 1\dfrac{19}{33}$

2) $2\dfrac{1}{6} \div 1\dfrac{3}{8} = \dfrac{13}{6} \div \dfrac{11}{8} = \dfrac{13}{\cancel{6}_3} \times \dfrac{\cancel{8}^4}{11} = \dfrac{52}{33} = 1\dfrac{19}{33}$

대분수를 가분수로 고쳐서 분수의 나눗셈을 계산하세요.

① $7\dfrac{2}{3} \div 2\dfrac{5}{6} =$

② $4\dfrac{1}{6} \div 1\dfrac{1}{9} =$

③ $3\dfrac{1}{2} \div 2\dfrac{6}{7} =$

④ $1\dfrac{1}{8} \div 2\dfrac{1}{10} =$

⑤ $2\dfrac{5}{9} \div 1\dfrac{2}{21} =$

⑥ $2\dfrac{1}{12} \div 2\dfrac{1}{2} =$

⑦ $3\dfrac{4}{15} \div 1\dfrac{3}{4} =$

⑧ $1\dfrac{13}{18} \div 3\dfrac{2}{3} =$

계산을 하세요.

① $1\dfrac{2}{3} \div \dfrac{2}{5} =$

② $4\dfrac{2}{5} \div \dfrac{11}{15} =$

③ $8 \div 1\dfrac{3}{4} =$

④ $5\dfrac{1}{3} \div 1\dfrac{1}{9} =$

⑤ $1\dfrac{1}{3} \div 1\dfrac{5}{6} =$

⑥ $2\dfrac{3}{7} \div \dfrac{5}{8} =$

⑦ $1\dfrac{5}{9} \div 7 =$

⑧ $\dfrac{1}{2} \div 1\dfrac{1}{7} =$

⑨ $1\dfrac{1}{4} \div 1\dfrac{7}{8} =$

⑩ $2\dfrac{1}{3} \div \dfrac{1}{4} =$

⑪ $3\dfrac{3}{7} \div 3\dfrac{1}{3} =$

⑫ $2\dfrac{2}{5} \div 4 =$

⑬ $4\dfrac{3}{8} \div 15 =$

⑭ $2\dfrac{7}{10} \div 1\dfrac{5}{13} =$

규칙에 알맞게 계산을 하세요.

①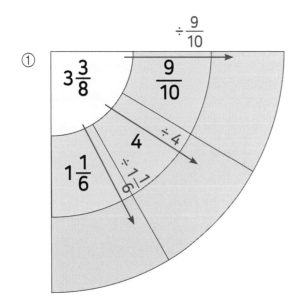

②

③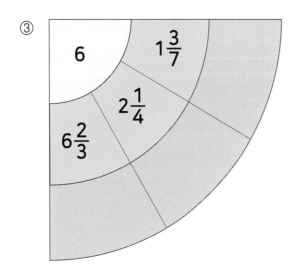

④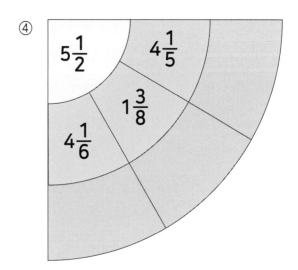

계산 결과를 비교하여 >, =, < 를 알맞게 써넣으세요.

① $2 \div \dfrac{1}{2}$ ◯ $\dfrac{4}{5} \div \dfrac{1}{5}$

② $\dfrac{3}{4} \div \dfrac{2}{3}$ ◯ $\dfrac{1}{3} \div \dfrac{3}{8}$

③ $2\dfrac{2}{5} \div \dfrac{3}{10}$ ◯ $\dfrac{1}{4} \div \dfrac{1}{20}$

④ $1\dfrac{1}{6} \div 2\dfrac{1}{3}$ ◯ $3 \div 1\dfrac{1}{2}$

⑤ $\dfrac{7}{13} \div \dfrac{7}{26}$ ◯ $\dfrac{8}{11} \div \dfrac{4}{11}$

⑥ $1\dfrac{7}{20} \div 3$ ◯ $1\dfrac{7}{15} \div 2\dfrac{3}{4}$

⑦ $\dfrac{49}{50} \div \dfrac{7}{10}$ ◯ $\dfrac{27}{32} \div \dfrac{9}{16}$

세 분수 중 2개를 골라서 계산 결과가 가장 작은 나눗셈식을 만들고 답을 구하세요.

① $\dfrac{5}{12}$　$5\dfrac{5}{6}$　$\dfrac{5}{7}$

$\boxed{} \div \boxed{} =$

② $3\dfrac{3}{4}$　$2\dfrac{2}{5}$　$\dfrac{2}{3}$

$\boxed{} \div \boxed{} =$

③ $1\dfrac{16}{33}$　$\dfrac{7}{11}$　$1\dfrac{7}{25}$

$\boxed{} \div \boxed{} =$

④ $\dfrac{14}{15}$　$4\dfrac{1}{5}$　$1\dfrac{17}{25}$

$\boxed{} \div \boxed{} =$

⑤ $1\dfrac{17}{28}$　$1\dfrac{3}{4}$　$\dfrac{5}{6}$

$\boxed{} \div \boxed{} =$

⑥ $1\dfrac{5}{16}$　$\dfrac{3}{5}$　$\dfrac{5}{8}$

$\boxed{} \div \boxed{} =$

□ 구하기

동영상 해설

- 분수가 포함된 곱셈, 나눗셈식에서 □를 구하는 방법은 자연수로 계산할 때와 같습니다. 분수가 포함되어서 방법이 떠오르지 않을 때는 분수 자리에 자연수를 넣고, 살펴보는 것도 좋은 방법입니다.

$2 \times \boxed{} = 8$

$\boxed{} = 8 \div 2 = 4$

$\dfrac{3}{4} \times \boxed{} = \dfrac{1}{2}$

$\boxed{} = \dfrac{1}{2} \div \dfrac{3}{4} = \dfrac{2}{3}$

$\boxed{} \div 2 = 8$

$\boxed{} = 8 \times 2 = 16$

$\boxed{} \div \dfrac{3}{4} = \dfrac{1}{2}$

$\boxed{} = \dfrac{1}{2} \times \dfrac{3}{4} = \dfrac{3}{8}$

$2 \div \boxed{} = 8$

$2 = 8 \times \boxed{}$

$\boxed{} = 2 \div 8 = \dfrac{1}{4}$

$\dfrac{3}{4} \div \boxed{} = \dfrac{1}{2}$

$\dfrac{3}{4} = \dfrac{1}{2} \times \boxed{}$

$\boxed{} = \dfrac{3}{4} \div \dfrac{1}{2} = 1\dfrac{1}{2}$

🍗 빈칸에 알맞은 수를 써넣어 ㉠을 구하세요.

① $\dfrac{5}{6} \times ㉠ = \dfrac{2}{3}$

$㉠ = \boxed{} \div \boxed{} = \boxed{}$

② $㉠ \times \dfrac{3}{8} = \dfrac{1}{4}$

$㉠ = \boxed{} \div \boxed{} = \boxed{}$

③ $㉠ \div \dfrac{1}{4} = \dfrac{7}{8}$

$㉠ = \boxed{} \times \boxed{} = \boxed{}$

④ $\dfrac{4}{5} \div ㉠ = \dfrac{6}{7}$

$㉠ = \boxed{} \div \boxed{} = \boxed{}$

① $㉠ \times \dfrac{7}{4} = 1\dfrac{5}{8}$

② $㉠ \div 2\dfrac{2}{9} = \dfrac{4}{5}$

③ $2\dfrac{2}{5} \times ㉠ = 3\dfrac{1}{9}$

④ $2\dfrac{1}{4} \div ㉠ = \dfrac{2}{3}$

⑤ $㉠ \div \dfrac{1}{6} = \dfrac{9}{8}$

⑥ $3\dfrac{3}{4} \times ㉠ = \dfrac{9}{8}$

⑦ $㉠ \times \dfrac{5}{4} = 1\dfrac{5}{8}$

⑧ $\dfrac{5}{9} \div ㉠ = 2\dfrac{2}{3}$

⑨ $㉠ \div 3\dfrac{3}{4} = 1\dfrac{1}{9}$

⑩ $2\dfrac{1}{9} \div ㉠ = 1\dfrac{2}{3}$

㉠이 나타내는 수를 구하세요.

① $㉠ \div \dfrac{5}{7} = 4$

② $1\dfrac{5}{6} \div ㉠ = \dfrac{2}{3}$

③ $㉠ \times \dfrac{7}{9} = 1\dfrac{1}{2}$

④ $3\dfrac{1}{9} \div ㉠ = 2\dfrac{1}{3}$

⑤ $㉠ \div \dfrac{1}{10} = 2\dfrac{1}{7}$

⑥ $1\dfrac{7}{8} \times ㉠ = 3\dfrac{1}{4}$

⑦ $㉠ \times 1\dfrac{4}{7} = 4\dfrac{2}{5}$

⑧ $㉠ \div 3\dfrac{4}{7} = 1\dfrac{7}{8}$

⑨ $8\dfrac{2}{5} \times ㉠ = 2\dfrac{1}{2}$

⑩ $1\dfrac{1}{4} \div ㉠ = 1\dfrac{1}{6}$

번분수

분수의 분자나 분모가 분수로 되어 있는 분수를 번분수라고 합니다. 번분수는 중등 수학 내용이지만 원리를 이용하면 간단하게 해결됩니다. 분수의 나눗셈을 연습하면서 번분수를 알아봅시다.

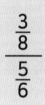

- 분모나 분자 중 하나만 분수가 있는 경우는 분모, 분자에 분모를 똑같이 곱하면 분모, 분자를 자연수로 바꿀 수 있습니다.

$$\frac{\frac{3}{4}}{7} = \frac{\frac{3}{4} \times 4}{7 \times 4} = \frac{3}{28} \qquad \frac{3}{\frac{5}{6}} = \frac{3 \times 6}{\frac{5}{6} \times 6} = \frac{18}{5} = 3\frac{3}{5}$$

💡 다음 번분수를 간단히 하세요.

① $\dfrac{\frac{2}{3}}{4} =$

② $\dfrac{\frac{2}{8}}{9} =$

③ $\dfrac{\frac{10}{5}}{7} =$

④ $\dfrac{\frac{5}{8}}{10} =$

⑤ $\dfrac{\frac{3}{4}}{9} =$

⑥ $\dfrac{\frac{8}{4}}{11} =$

- 분모, 분자가 모두 분수인 경우 두 분수의 분모의 공배수를 분모, 분자에 곱하면 분모, 분자를 자연수로 바꿀 수 있습니다.

$$\frac{\frac{3}{4}}{\frac{2}{5}} = \frac{\frac{3}{4} \times 20}{\frac{2}{5} \times 20} = \frac{15}{8} = 1\frac{7}{8}$$

다음 번분수를 간단히 하세요.

① $\dfrac{\frac{1}{2}}{\frac{2}{3}} =$　　　　② $\dfrac{\frac{2}{3}}{\frac{1}{6}} =$　　　　③ $\dfrac{\frac{1}{2}}{\frac{3}{8}} =$

④ $\dfrac{\frac{1}{6}}{\frac{7}{8}} =$　　　　⑤ $\dfrac{\frac{4}{5}}{\frac{2}{7}} =$　　　　⑥ $\dfrac{\frac{10}{13}}{\frac{5}{6}} =$

⑦ $\dfrac{\frac{3}{8}}{\frac{7}{12}} =$　　　　⑧ $\dfrac{\frac{2}{9}}{\frac{8}{15}} =$　　　　⑨ $\dfrac{\frac{5}{8}}{\frac{5}{12}} =$

● (분수)=(분자)÷(분모)라는 분수의 의미를 이용하여 분수의 나눗셈으로 바꾸어 계산하면 분모, 분자를 자연수로 바꿀 수 있습니다.

$$\frac{\frac{3}{4}}{\frac{2}{5}} = \frac{3}{4} \div \frac{2}{5} = \frac{3}{4} \times \frac{5}{2} = \frac{15}{8} = 1\frac{7}{8}$$

🐛 다음 번분수를 간단히 하세요.

① $\dfrac{\frac{1}{2}}{\frac{1}{4}}$ =

② $\dfrac{\frac{1}{2}}{\frac{3}{5}}$ =

③ $\dfrac{\frac{2}{3}}{\frac{5}{6}}$ =

④ $\dfrac{\frac{3}{5}}{\frac{3}{8}}$ =

⑤ $\dfrac{\frac{1}{3}}{\frac{5}{9}}$ =

⑥ $\dfrac{\frac{22}{25}}{\frac{11}{12}}$ =

⑦ $\dfrac{\frac{3}{7}}{\frac{9}{14}}$ =

⑧ $\dfrac{\frac{3}{4}}{\frac{7}{16}}$ =

⑨ $\dfrac{\frac{2}{3}}{\frac{5}{9}}$ =

· **4**주차 ·

도전! 계산왕

분수의 나눗셈

🎯 계산을 하세요.

① $\dfrac{2}{3} \div 5 =$

② $\dfrac{4}{5} \div 8 =$

③ $\dfrac{4}{15} \div \dfrac{2}{9} =$

④ $4\dfrac{3}{4} \div \dfrac{1}{2} =$

⑤ $8\dfrac{1}{3} \div 15 =$

⑥ $\dfrac{9}{13} \div \dfrac{3}{5} =$

⑦ $4\dfrac{5}{7} \div 2\dfrac{1}{5} =$

⑧ $12 \div \dfrac{8}{3} =$

⑨ $\dfrac{3}{5} \div \dfrac{9}{5} =$

⑩ $5\dfrac{1}{7} \div \dfrac{3}{4} =$

⑪ $\dfrac{5}{7} \div \dfrac{10}{13} =$

⑫ $1\dfrac{3}{11} \div 2\dfrac{2}{13} =$

분수의 나눗셈

계산을 하세요.

① $\dfrac{2}{3} \div 6 =$

② $\dfrac{8}{9} \div 4 =$

③ $\dfrac{5}{6} \div \dfrac{5}{12} =$

④ $2\dfrac{2}{3} \div \dfrac{8}{9} =$

⑤ $3\dfrac{1}{2} \div 14 =$

⑥ $\dfrac{2}{7} \div \dfrac{9}{14} =$

⑦ $10 \div \dfrac{1}{2} =$

⑧ $\dfrac{4}{5} \div 6 =$

⑨ $\dfrac{7}{12} \div \dfrac{5}{12} =$

⑩ $1\dfrac{11}{16} \div 1\dfrac{7}{8} =$

⑪ $3\dfrac{4}{7} \div \dfrac{5}{14} =$

⑫ $\dfrac{1}{2} \div 1\dfrac{3}{4} =$

분수의 나눗셈

💡 계산을 하세요.

① $\dfrac{5}{12} \div 10 =$

② $\dfrac{3}{5} \div 9 =$

③ $\dfrac{3}{10} \div \dfrac{1}{5} =$

④ $3\dfrac{3}{4} \div \dfrac{5}{6} =$

⑤ $4\dfrac{2}{3} \div 7 =$

⑥ $\dfrac{4}{5} \div \dfrac{9}{10} =$

⑦ $\dfrac{3}{4} \div 12 =$

⑧ $\dfrac{3}{4} \div \dfrac{1}{2} =$

⑨ $1\dfrac{5}{16} \div \dfrac{3}{4} =$

⑩ $1\dfrac{16}{33} \div \dfrac{14}{15} =$

⑪ $\dfrac{5}{12} \div 1\dfrac{17}{28} =$

⑫ $5\dfrac{5}{6} \div 1\dfrac{5}{9} =$

2일 ❷

분수의 나눗셈

💡 계산을 하세요.

① $\dfrac{2}{3} \div 3 =$

② $\dfrac{5}{6} \div 10 =$

③ $\dfrac{4}{7} \div \dfrac{5}{14} =$

④ $2\dfrac{2}{5} \div \dfrac{3}{4} =$

⑤ $4\dfrac{1}{5} \div 7 =$

⑥ $\dfrac{2}{3} \div \dfrac{8}{9} =$

⑦ $25 \div \dfrac{5}{8} =$

⑧ $\dfrac{3}{8} \div 24 =$

⑨ $\dfrac{5}{6} \div \dfrac{10}{11} =$

⑩ $4\dfrac{2}{5} \div \dfrac{11}{15} =$

⑪ $3\dfrac{4}{15} \div 1\dfrac{3}{4} =$

⑫ $\dfrac{3}{14} \div \dfrac{5}{7} =$

분수의 나눗셈

💡 계산을 하세요.

① $\dfrac{4}{5} \div 8 =$

② $\dfrac{5}{8} \div 10 =$

③ $\dfrac{8}{9} \div \dfrac{2}{3} =$

④ $1\dfrac{9}{16} \div \dfrac{1}{4} =$

⑤ $1\dfrac{13}{15} \div 4 =$

⑥ $\dfrac{10}{13} \div \dfrac{15}{26} =$

⑦ $2\dfrac{9}{20} \div 1\dfrac{11}{45} =$

⑧ $\dfrac{2}{3} \div \dfrac{5}{6} =$

⑨ $8 \div \dfrac{1}{4} =$

⑩ $\dfrac{1}{4} \div 3\dfrac{1}{2} =$

⑪ $\dfrac{3}{4} \div 9 =$

⑫ $1\dfrac{2}{5} \div \dfrac{2}{9} =$

분수의 나눗셈

🎈 계산을 하세요.

① $\dfrac{9}{10} \div 5 =$

② $\dfrac{3}{4} \div 7 =$

③ $\dfrac{5}{6} \div \dfrac{7}{30} =$

④ $4\dfrac{1}{2} \div \dfrac{4}{5} =$

⑤ $2\dfrac{2}{9} \div 5 =$

⑥ $\dfrac{7}{10} \div \dfrac{14}{15} =$

⑦ $21 \div \dfrac{14}{15} =$

⑧ $9 \div \dfrac{6}{7} =$

⑨ $2\dfrac{1}{10} \div \dfrac{5}{7} =$

⑩ $3\dfrac{1}{4} \div 1\dfrac{1}{2} =$

⑪ $1\dfrac{7}{15} \div \dfrac{11}{12} =$

⑫ $1\dfrac{13}{17} \div 1\dfrac{7}{13} =$

4일 ❶

분수의 나눗셈

📎 계산을 하세요.

① $\dfrac{5}{9} \div 5 =$

② $\dfrac{6}{11} \div 4 =$

③ $\dfrac{8}{13} \div \dfrac{1}{2} =$

④ $5\dfrac{2}{15} \div \dfrac{3}{5} =$

⑤ $4\dfrac{9}{10} \div 28 =$

⑥ $\dfrac{5}{6} \div \dfrac{7}{12} =$

⑦ $14 \div \dfrac{4}{7} =$

⑧ $\dfrac{1}{12} \div \dfrac{5}{6} =$

⑨ $\dfrac{9}{20} \div \dfrac{27}{35} =$

⑩ $1\dfrac{5}{6} \div \dfrac{2}{9} =$

⑪ $2\dfrac{1}{4} \div \dfrac{5}{12} =$

⑫ $\dfrac{3}{5} \div 3\dfrac{3}{10} =$

분수의 나눗셈

계산을 하세요.

① $\dfrac{20}{27} \div 4 =$

② $\dfrac{3}{4} \div 2 =$

③ $\dfrac{2}{7} \div \dfrac{3}{14} =$

④ $3\dfrac{1}{5} \div \dfrac{4}{7} =$

⑤ $3\dfrac{3}{8} \div 6 =$

⑥ $\dfrac{5}{22} \div \dfrac{10}{11} =$

⑦ $6 \div \dfrac{9}{20} =$

⑧ $\dfrac{3}{10} \div 6 =$

⑨ $\dfrac{3}{4} \div \dfrac{1}{6} =$

⑩ $\dfrac{9}{15} \div \dfrac{1}{3} =$

⑪ $10\dfrac{1}{2} \div \dfrac{7}{9} =$

⑫ $1\dfrac{23}{40} \div 1\dfrac{17}{25} =$

5일 ❶

분수의 나눗셈

👆 계산을 하세요.

① $\dfrac{16}{25} \div 12 =$

② $\dfrac{6}{7} \div 2 =$

③ $\dfrac{8}{21} \div \dfrac{1}{3} =$

④ $6\dfrac{1}{9} \div \dfrac{2}{5} =$

⑤ $10\dfrac{1}{2} \div 12 =$

⑥ $\dfrac{2}{15} \div \dfrac{1}{6} =$

⑦ $6 \div \dfrac{4}{5} =$

⑧ $\dfrac{6}{13} \div \dfrac{6}{7} =$

⑨ $3\dfrac{5}{6} \div 3\dfrac{2}{7} =$

⑩ $1\dfrac{11}{16} \div \dfrac{4}{15} =$

⑪ $\dfrac{1}{3} \div 1\dfrac{5}{6} =$

⑫ $1\dfrac{3}{5} \div 1\dfrac{7}{25} =$

분수의 나눗셈

🎙 계산을 하세요.

① $\dfrac{5}{6} \div 7 =$

② $\dfrac{9}{14} \div 6 =$

③ $\dfrac{7}{16} \div \dfrac{3}{8} =$

④ $4\dfrac{1}{4} \div \dfrac{3}{5} =$

⑤ $7\dfrac{5}{9} \div 34 =$

⑥ $\dfrac{9}{17} \div \dfrac{1}{5} =$

⑦ $4\dfrac{4}{5} \div 2\dfrac{2}{15} =$

⑧ $\dfrac{5}{6} \div 20 =$

⑨ $5 \div \dfrac{10}{13} =$

⑩ $\dfrac{3}{5} \div 3\dfrac{9}{20} =$

⑪ $1\dfrac{7}{18} \div 1\dfrac{1}{9} =$

⑫ $1\dfrac{17}{28} \div \dfrac{5}{12} =$

• **5**주차 •
세 분수의 곱셈과 나눗셈

분수의 나눗셈은 분자, 분모를 바꾸어 곱셈을 하기 때문에 곱셈의 연습이 곧 나눗셈의 연습이기도 합니다. 세 분수의 곱셈, 나눗셈 혼합 계산을 통해 중등 수학에서도 많이 다루게 되는 분수의 곱셈, 나눗셈을 함께 연습하도록 했습니다.

세 진분수의 곱셈과 나눗셈

- 세 분수의 곱셈, 나눗셈은 나눗셈을 모두 곱셈으로 고쳐서 계산합니다.

$$\frac{6}{7} \div \frac{2}{15} \times \frac{3}{10} = \frac{\overset{3}{6}}{7} \times \frac{\overset{3}{15}}{\underset{1}{2}} \times \frac{3}{\underset{2}{10}} = \frac{3 \times 3 \times 3}{7 \times 1 \times 2} = \frac{27}{14} = 1\frac{13}{14}$$

나눗셈을 곱셈으로 고쳐서 계산하세요.

① $\dfrac{3}{4} \div \dfrac{1}{4} \times \dfrac{1}{3} = \dfrac{\square}{\square} \times \dfrac{\square}{\square} \times \dfrac{\square}{\square} =$

② $\dfrac{4}{5} \times \dfrac{5}{6} \div \dfrac{1}{2} = \dfrac{\square}{\square} \times \dfrac{\square}{\square} \times \dfrac{\square}{\square} =$

③ $\dfrac{5}{8} \div \dfrac{5}{7} \div \dfrac{7}{16} = \dfrac{\square}{\square} \times \dfrac{\square}{\square} \times \dfrac{\square}{\square} =$

④ $\dfrac{2}{9} \times \dfrac{5}{12} \div \dfrac{5}{6} = \dfrac{\square}{\square} \times \dfrac{\square}{\square} \times \dfrac{\square}{\square} =$

⑤ $\dfrac{8}{15} \div \dfrac{5}{12} \times \dfrac{5}{16} = \dfrac{\square}{\square} \times \dfrac{\square}{\square} \times \dfrac{\square}{\square} =$

⑥ $\dfrac{9}{10} \div \dfrac{3}{5} \div \dfrac{9}{14} = \dfrac{\square}{\square} \times \dfrac{\square}{\square} \times \dfrac{\square}{\square} =$

계산을 하세요.

① $\dfrac{1}{2} \times \dfrac{2}{3} \div \dfrac{2}{5} =$

② $\dfrac{3}{4} \times \dfrac{2}{5} \div \dfrac{3}{10} =$

③ $\dfrac{8}{15} \div \dfrac{1}{7} \div \dfrac{4}{5} =$

④ $\dfrac{1}{6} \times \dfrac{2}{3} \div \dfrac{2}{9} =$

⑤ $\dfrac{2}{3} \div \dfrac{4}{9} \times \dfrac{5}{6} =$

⑥ $\dfrac{9}{20} \div \dfrac{7}{12} \div \dfrac{6}{7} =$

◇ 안의 수는 곱하고 ○ 안의 수는 나누어서 계산 결과를 ☐ 안에 써넣으세요.

①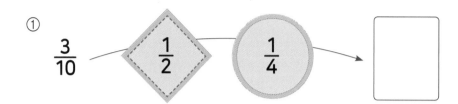

$\dfrac{3}{10}$ ◇$\dfrac{1}{2}$ ○$\dfrac{1}{4}$ ☐

②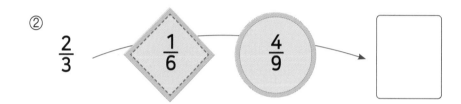

$\dfrac{2}{3}$ ◇$\dfrac{1}{6}$ ○$\dfrac{4}{9}$ ☐

③

$\dfrac{3}{4}$ ◇$\dfrac{1}{3}$ ○$\dfrac{4}{5}$ ☐

④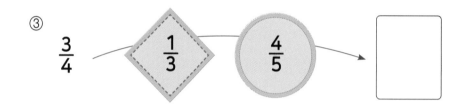

$\dfrac{7}{12}$ ◇$\dfrac{8}{21}$ ○$\dfrac{3}{4}$ ☐

⑤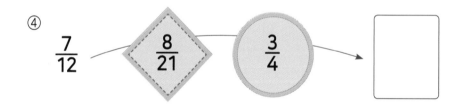

$\dfrac{8}{15}$ ◇$\dfrac{4}{5}$ ○$\dfrac{2}{3}$ ☐

⑥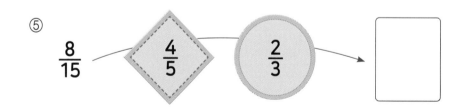

$\dfrac{5}{21}$ ◇$\dfrac{27}{28}$ ○$\dfrac{6}{7}$ ☐

- 대분수가 포함된 곱셈, 나눗셈은 대분수를 가분수로 모두 바꾼 후 나눗셈을 모두 곱셈으로 고쳐서 계산합니다.

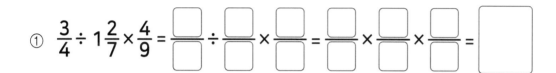

$$1\frac{3}{4} \times 2\frac{6}{9} \div 2\frac{5}{8} = \frac{7}{4} \times \frac{24}{9} \div \frac{21}{8} = \frac{7}{4} \times \frac{24}{9} \times \frac{8}{21} = \frac{1 \times 2 \times 8}{1 \times 3 \times 3} = \frac{16}{9} = 1\frac{7}{9}$$

🔑 나눗셈을 곱셈으로 고쳐서 계산하세요.

① $\frac{3}{4} \div 1\frac{2}{7} \times \frac{4}{9} = \dfrac{\square}{\square} \div \dfrac{\square}{\square} \times \dfrac{\square}{\square} = \dfrac{\square}{\square} \times \dfrac{\square}{\square} \times \dfrac{\square}{\square} = \boxed{}$

② $1\frac{2}{3} \div \frac{1}{6} \div 1\frac{1}{9} = \dfrac{\square}{\square} \div \dfrac{\square}{\square} \div \dfrac{\square}{\square} = \dfrac{\square}{\square} \times \dfrac{\square}{\square} \times \dfrac{\square}{\square} = \boxed{}$

③ $2\frac{5}{8} \times 3\frac{3}{4} \div 1\frac{2}{5} = \dfrac{\square}{\square} \times \dfrac{\square}{\square} \div \dfrac{\square}{\square} = \dfrac{\square}{\square} \times \dfrac{\square}{\square} \times \dfrac{\square}{\square} = \boxed{}$

④ $\frac{8}{15} \div 2\frac{4}{5} \times 1\frac{2}{7} = \dfrac{\square}{\square} \div \dfrac{\square}{\square} \times \dfrac{\square}{\square} = \dfrac{\square}{\square} \times \dfrac{\square}{\square} \times \dfrac{\square}{\square} = \boxed{}$

⑤ $\frac{2}{5} \div 1\frac{3}{11} \div 2\frac{2}{7} = \dfrac{\square}{\square} \div \dfrac{\square}{\square} \div \dfrac{\square}{\square} = \dfrac{\square}{\square} \times \dfrac{\square}{\square} \times \dfrac{\square}{\square} = \boxed{}$

⑥ $1\frac{1}{9} \times 2\frac{5}{12} \div 2\frac{9}{10} = \dfrac{\square}{\square} \times \dfrac{\square}{\square} \div \dfrac{\square}{\square} = \dfrac{\square}{\square} \times \dfrac{\square}{\square} \times \dfrac{\square}{\square} = \boxed{}$

① $2\dfrac{1}{7} \times \dfrac{3}{10} \div 1\dfrac{1}{5} =$

② $2\dfrac{2}{3} \div 3\dfrac{8}{9} \times 5 =$

③ $1\dfrac{1}{8} \div \dfrac{3}{4} \times \dfrac{2}{5} =$

④ $3 \div 1\dfrac{7}{8} \div 1\dfrac{1}{6} =$

⑤ $\dfrac{8}{15} \div \dfrac{1}{7} \times 2\dfrac{4}{5} =$

⑥ $\dfrac{7}{8} \div 2\dfrac{4}{5} \times 1\dfrac{1}{3} =$

⑦ $2\dfrac{9}{20} \div \dfrac{7}{12} \div 1\dfrac{1}{6} =$

분수를 곱하거나 나눈 마지막 결과를 구하세요.

① $3\frac{3}{4}$ $\times \frac{3}{5}$ ★ $\div 2\frac{4}{5}$ ▢

② $3\frac{2}{5}$ $\div 1\frac{5}{8}$ ★ $\times 5$ ▢

③ $2\frac{2}{3}$ $\div \frac{1}{2}$ ★ $\times \frac{7}{9}$ ▢

④ 7 $\div 1\frac{2}{5}$ ★ $\div 4\frac{1}{2}$ ▢

⑤ $\frac{7}{18}$ $\div \frac{1}{9}$ ★ $\times 2\frac{4}{5}$ ▢

⑥ $\frac{8}{25}$ $\div 4\frac{4}{5}$ ★ $\times 1\frac{3}{7}$ ▢

⑦ $3\frac{5}{21}$ $\div \frac{27}{28}$ ★ $\div 1\frac{1}{3}$ ▢

- 분수의 곱셈, 나눗셈에서 ÷(자연수)가 있으면 ×$\dfrac{1}{(자연수)}$ 로 고쳐서 계산합니다.

$$1\dfrac{3}{5} \div 2\dfrac{6}{7} \div 2 = \dfrac{8}{5} \times \dfrac{7}{20} \times \dfrac{1}{2} = \dfrac{8 \times 7 \times 1}{5 \times \overset{}{20} \times 2} = \dfrac{7}{25}$$

나눗셈을 곱셈으로 고쳐서 계산하세요.

① $\dfrac{5}{6} \div 10 \times 6\dfrac{3}{4} = \dfrac{\square}{\square} \times \dfrac{\square}{\square} \times \dfrac{\square}{\square} = \square$

② $5\dfrac{1}{3} \div 6 \times \dfrac{3}{7} = \dfrac{\square}{\square} \times \dfrac{\square}{\square} \times \dfrac{\square}{\square} = \square$

③ $5\dfrac{1}{4} \div \dfrac{6}{7} \div 14 = \dfrac{\square}{\square} \times \dfrac{\square}{\square} \times \dfrac{\square}{\square} = \square$

④ $4\dfrac{4}{9} \div 7 \times 1\dfrac{4}{5} = \dfrac{\square}{\square} \times \dfrac{\square}{\square} \times \dfrac{\square}{\square} = \square$

⑤ $\dfrac{7}{24} \div \dfrac{5}{21} \div 35 = \dfrac{\square}{\square} \times \dfrac{\square}{\square} \times \dfrac{\square}{\square} = \square$

⑥ $1\dfrac{1}{7} \div 16 \times 3\dfrac{3}{5} = \dfrac{\square}{\square} \times \dfrac{\square}{\square} \times \dfrac{\square}{\square} = \square$

🐛 계산을 하세요.

① $6\dfrac{2}{7} \times \dfrac{3}{8} \div 3\dfrac{3}{5} =$

② $1\dfrac{2}{5} \div 2\dfrac{5}{8} \times 4 =$

③ $5\dfrac{1}{2} \div \dfrac{3}{4} \times \dfrac{1}{4} =$

④ $9 \div 2\dfrac{3}{4} \div 1\dfrac{1}{3} =$

⑤ $\dfrac{7}{19} \div \dfrac{3}{38} \times 2\dfrac{3}{5} =$

⑥ $\dfrac{5}{24} \div 3\dfrac{1}{2} \times 2\dfrac{2}{5} =$

⑦ $3\dfrac{3}{20} \div \dfrac{7}{8} \div 1\dfrac{2}{3} =$

사다리를 내려가면서 만나는 수를 나누어서 빈칸에 써넣으세요.

①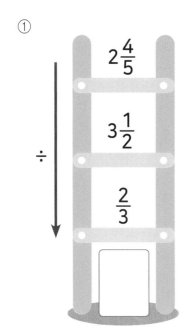

$2\dfrac{4}{5}$

÷

$3\dfrac{1}{2}$

$\dfrac{2}{3}$

②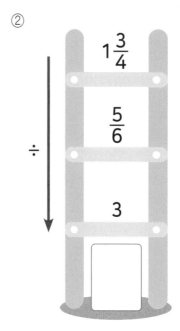

$1\dfrac{3}{4}$

÷

$\dfrac{5}{6}$

3

③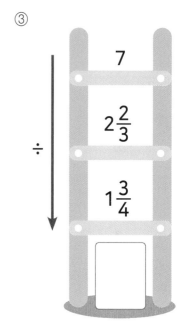

7

÷

$2\dfrac{2}{3}$

$1\dfrac{3}{4}$

④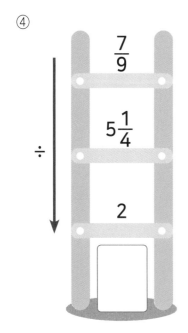

$\dfrac{7}{9}$

÷

$5\dfrac{1}{4}$

2

⑤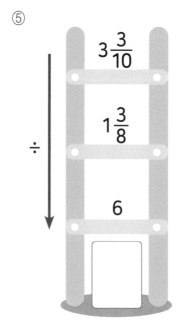

$3\dfrac{3}{10}$

÷

$1\dfrac{3}{8}$

6

⑥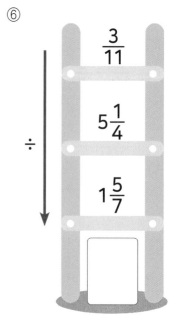

$\dfrac{3}{11}$

÷

$5\dfrac{1}{4}$

$1\dfrac{5}{7}$

분자가 1인 분수를 단위분수라고 합니다. 계산 결과가 단위분수인 것에 모두 ○표 하세요.

$$2\frac{1}{4} \times \frac{2}{3} \div 3$$

$$1\frac{3}{4} \times \frac{1}{7} \div 2$$

$$2\frac{2}{13} \div \frac{7}{13} \times \frac{3}{16}$$

$$2\frac{2}{9} \div \frac{11}{12} \times \frac{3}{20}$$

$$3\frac{1}{7} \div \frac{11}{12} \times \frac{1}{8}$$

$$\frac{1}{30} \times 2 \div 1\frac{1}{15}$$

$$5\frac{5}{6} \times \frac{6}{7} \div 2$$

$$\frac{8}{25} \times 3 \div 4\frac{4}{5}$$

Tip

약분만 모두 해 봐도 알 수 있습니다.

주어진 세 수를 빈칸에 넣어 계산 결과가 가장 큰 식을 만들고 계산하세요.

① $4\frac{5}{7}$ $\frac{1}{8}$ 3

$$\boxed{} \div \boxed{} \div \boxed{} =$$

② $\frac{2}{3}$ 2 $1\frac{1}{5}$

$$\boxed{} \times \boxed{} \div \boxed{} =$$

③ $6\frac{3}{7}$ 2 $\frac{5}{6}$

$$\boxed{} \div \boxed{} \times \boxed{} =$$

④ 3 $4\frac{1}{6}$ $\frac{1}{4}$

$$\boxed{} \div \boxed{} \div \boxed{} =$$

⑤ $\frac{3}{4}$ $7\frac{4}{5}$ 8

$$\boxed{} \div \boxed{} \times \boxed{} =$$

⑥ $2\frac{1}{5}$ $\frac{9}{10}$ 15

$$\boxed{} \times \boxed{} \div \boxed{} =$$

주어진 세 수를 빈칸에 넣어 계산 결과가 가장 작은 식을 만들고 계산하세요.

① $\dfrac{7}{10}$ $4\dfrac{2}{7}$ 3

$\boxed{} \div \boxed{} \times \boxed{} =$

② $2\dfrac{4}{5}$ $\dfrac{6}{7}$ 12

$\boxed{} \times \boxed{} \div \boxed{} =$

③ $1\dfrac{1}{2}$ $\dfrac{2}{5}$ 4

$\boxed{} \div \boxed{} \times \boxed{} =$

④ $\dfrac{3}{4}$ 6 $5\dfrac{2}{3}$

$\boxed{} \div \boxed{} \div \boxed{} =$

⑤ $4\dfrac{3}{8}$ 4 $\dfrac{8}{9}$

$\boxed{} \div \boxed{} \times \boxed{} =$

⑥ 4 $2\dfrac{2}{5}$ $\dfrac{3}{4}$

$\boxed{} \times \boxed{} \div \boxed{} =$

🐛 문제를 읽고 알맞은 식과 답을 써 보세요.

★ 철사 $2\frac{1}{2}$ m의 무게가 $1\frac{3}{4}$ kg일 때 같은 철사 4 m의 무게는 몇 kg인지 구해 봅시다.

① 철사 1 m의 무게는 몇 kg일까요?

식 : _____ 답 : _____ kg

② 철사 4 m의 무게는 몇 kg일까요?

식 : _____ 답 : _____ kg

③ 수영이는 $\frac{9}{20}$ m를 가는 데 $\frac{1}{10}$ 분이 걸립니다. 같은 빠르기로 10 m를 가려면 몇 분이 걸릴까요?

식 : _____ 답 : _____ 분

④ 영수가 자전거를 타고 $\frac{4}{5}$ km를 이동하는 데 $3\frac{4}{5}$ 분이 걸렸습니다. 같은 빠르기로 $6\frac{1}{2}$ km를 가는 데 몇 분이 걸릴까요?

식 : _____ 답 : _____ 분

🤔 문제를 읽고 알맞은 식과 답을 써 보세요.

① $\frac{3}{4}$ m의 무게가 $2\frac{5}{6}$ kg인 파이프 5 m의 무게는 몇 kg일까요?

식 : _____   답 : _____ kg

② $1\frac{1}{2}$ kg에 12000원 하는 쌀 4 kg의 가격은 얼마일까요?

식 : _____   답 : _____ 원

③ $4\frac{7}{8}$ 분 동안 $4\frac{1}{3}$ L의 물이 나오는 수도꼭지가 있습니다. 이 수도꼭지로 들이가 20 L인 어항을 가득 채우는 데 걸리는 시간은 몇 분일까요?

식 : _____   답 : _____ 분

④ 페인트 $2\frac{2}{3}$ L를 사용하여 넓이가 $6\frac{3}{5}$ ㎡인 벽면을 칠했습니다. 같은 방법으로 넓이가 $8\frac{1}{4}$ ㎡인 벽면을 칠하는 데 필요한 페인트는 몇 L일까요?

식 : _____   답 : _____ L

🎵 문제를 읽고 알맞은 식과 답을 써 보세요.

① 자동차가 $2\frac{1}{2}$ 시간 동안 210 km를 달렸습니다. 같은 빠르기로 4시간을 달리면 몇 km를 갈 수 있을까요?

식 : _____ 답 : _____ km

② 바닥에 떨어뜨리면 튀어 오르는 높이가 떨어진 높이의 $\frac{5}{6}$ 가 되는 공이 있습니다. 공을 떨어뜨렸더니 두 번째 튀어 오른 높이가 $1\frac{7}{8}$ m일 때 처음에 공을 떨어뜨린 높이는 몇 m일까요?

식 : _____ 답 : _____ m

③ 1분에 $\frac{11}{12}$ L의 지하수를 퍼 올리는 펌프 3개를 사용하여 30 L의 물을 채우는 데 몇 분이 걸릴까요?

식 : _____ 답 : _____ 분

④ 어떤 수에 $1\frac{7}{8}$ 을 나누어야 할 것을 곱했더니 $3\frac{15}{16}$ 가 되었습니다. 바르게 계산한 값은 얼마일까요?

식 : _____ 답 : _____

· **6**주차 ·

도전! 계산왕

세 분수의 곱셈과 나눗셈

✏️ 계산을 하세요.

① $7\dfrac{5}{6} \times \dfrac{2}{3} \div \dfrac{3}{16} =$

② $3 \times \dfrac{1}{6} \div \dfrac{2}{9} =$

③ $9\dfrac{1}{2} \div 3 \times \dfrac{3}{5} =$

④ $5\dfrac{5}{6} \div 7 \times \dfrac{6}{7} =$

⑤ $8 \div 4\dfrac{1}{2} \times \dfrac{3}{10} =$

⑥ $\dfrac{1}{3} \div \dfrac{1}{2} \times \dfrac{1}{6} =$

⑦ $\dfrac{4}{5} \div 1\dfrac{2}{3} \div \dfrac{8}{15} =$

⑧ $2\dfrac{1}{4} \div 1\dfrac{7}{8} \times 1\dfrac{1}{4} =$

세 분수의 곱셈과 나눗셈

🔍 계산을 하세요.

① $2\dfrac{2}{3} \times \dfrac{1}{2} \div \dfrac{5}{12} =$

② $4 \times \dfrac{5}{9} \div \dfrac{10}{27} =$

③ $6\dfrac{3}{4} \div 3 \times \dfrac{1}{2} =$

④ $5\dfrac{2}{5} \div 6 \times \dfrac{2}{3} =$

⑤ $2 \div \dfrac{1}{10} \div \dfrac{1}{2} =$

⑥ $3 \div \dfrac{1}{6} \div 1\dfrac{2}{7} =$

⑦ $3\dfrac{3}{4} \div \dfrac{5}{12} \times \dfrac{1}{9} =$

⑧ $\dfrac{1}{2} \times \dfrac{1}{4} \div \dfrac{1}{10} =$

세 분수의 곱셈과 나눗셈

💧 계산을 하세요.

① $6\dfrac{7}{8} \times \dfrac{2}{3} \div \dfrac{1}{2} =$

② $3 \times \dfrac{5}{7} \div \dfrac{2}{3} =$

③ $6\dfrac{1}{2} \div 2 \times \dfrac{2}{3} =$

④ $5\dfrac{5}{8} \div 5 \times \dfrac{5}{9} =$

⑤ $1 \div \dfrac{1}{2} \times \dfrac{1}{5} =$

⑥ $\dfrac{1}{9} \div \dfrac{3}{11} \times 1\dfrac{1}{11} =$

⑦ $\dfrac{7}{8} \div 2\dfrac{4}{5} \times 1\dfrac{1}{3} =$

⑧ $1\dfrac{1}{8} \div \dfrac{3}{4} \div \dfrac{2}{5} =$

세 분수의 곱셈과 나눗셈

2일 ❷

계산을 하세요.

① $7\dfrac{4}{6} \times \dfrac{1}{3} \div \dfrac{2}{3} =$

② $4 \times \dfrac{1}{6} \div \dfrac{4}{9} =$

③ $5\dfrac{4}{6} \div 3 \times \dfrac{6}{7} =$

④ $4\dfrac{4}{9} \div 10 \times \dfrac{1}{2} =$

⑤ $5 \times \dfrac{1}{12} \div \dfrac{1}{4} =$

⑥ $4\dfrac{1}{6} \div \dfrac{5}{9} \div 2\dfrac{4}{7} =$

⑦ $3 \div 1\dfrac{7}{8} \times 1\dfrac{1}{6} =$

⑧ $\dfrac{1}{2} \div 2\dfrac{2}{3} \times 6 =$

세 분수의 곱셈과 나눗셈

공부한 날	월 일
점 수	/ 8

🦑 계산을 하세요.

① $2\dfrac{4}{7} \times \dfrac{1}{4} \div \dfrac{1}{12} =$

② $9 \times \dfrac{3}{8} \div \dfrac{1}{6} =$

③ $1\dfrac{4}{5} \div 2 \times \dfrac{8}{9} =$

④ $1\dfrac{5}{7} \div 8 \times \dfrac{2}{3} =$

⑤ $5\dfrac{1}{3} \div 6 \div \dfrac{2}{7} =$

⑥ $2\dfrac{1}{2} \times \dfrac{2}{5} \div 7 =$

⑦ $\dfrac{8}{15} \div \dfrac{1}{7} \div 2\dfrac{4}{5} =$

⑧ $4\dfrac{4}{9} \div 7 \times 1\dfrac{4}{5} =$

세 분수의 곱셈과 나눗셈

계산을 하세요.

① $3\dfrac{3}{5} \times \dfrac{3}{4} \div \dfrac{1}{6} =$

② $6 \times \dfrac{3}{7} \div \dfrac{2}{3} =$

③ $5\dfrac{1}{2} \div 6 \times \dfrac{3}{4} =$

④ $2\dfrac{9}{20} \div 35 \times \dfrac{4}{7} =$

⑤ $\dfrac{1}{2} \div \dfrac{1}{3} \times \dfrac{1}{4} =$

⑥ $10 \times 1\dfrac{1}{2} \div 6 =$

⑦ $\dfrac{7}{24} \div \dfrac{1}{12} \div 21 =$

⑧ $3\dfrac{1}{3} \div 2\dfrac{2}{9} \times \dfrac{3}{4} =$

4일 ❶ 세 분수의 곱셈과 나눗셈

💡 계산을 하세요.

① $9\dfrac{1}{6} \times \dfrac{5}{12} \div \dfrac{1}{3} =$

② $5 \times \dfrac{1}{6} \div \dfrac{3}{4} =$

③ $6\dfrac{3}{8} \div 17 \times \dfrac{1}{4} =$

④ $3\dfrac{1}{7} \div 11 \times \dfrac{3}{8} =$

⑤ $5 \div \dfrac{2}{7} \times \dfrac{4}{7} =$

⑥ $\dfrac{3}{4} \div \dfrac{6}{7} \times \dfrac{2}{9} =$

⑦ $2\dfrac{9}{20} \div \dfrac{7}{12} \times \dfrac{6}{7} =$

⑧ $5\dfrac{1}{4} \times \dfrac{6}{7} \div 1\dfrac{1}{8} =$

4일 ❷

세 분수의 곱셈과 나눗셈

계산을 하세요.

① $6\dfrac{3}{8} \times \dfrac{1}{9} \div \dfrac{2}{3} =$

② $5 \times \dfrac{5}{6} \div \dfrac{1}{4} =$

③ $9\dfrac{5}{7} \div 17 \times \dfrac{3}{4} =$

④ $4\dfrac{3}{8} \div 15 \times \dfrac{3}{8} =$

⑤ $\dfrac{1}{9} \times \dfrac{1}{2} \div \dfrac{1}{6} =$

⑥ $1\dfrac{1}{7} \div \dfrac{8}{15} \times 1\dfrac{4}{5} =$

⑦ $1\dfrac{1}{5} \times 1\dfrac{2}{3} \div \dfrac{4}{5} =$

⑧ $8\dfrac{1}{6} \div 1\dfrac{5}{9} \times \dfrac{1}{2} =$

세 분수의 곱셈과 나눗셈

💡 계산을 하세요.

① $3\dfrac{2}{3} \times \dfrac{3}{8} \div \dfrac{3}{4} =$

② $4 \times \dfrac{2}{5} \div \dfrac{1}{6} =$

③ $7\dfrac{1}{6} \div 2 \times \dfrac{3}{5} =$

④ $1\dfrac{5}{9} \div 7 \times \dfrac{5}{6} =$

⑤ $2\dfrac{1}{7} \times \dfrac{3}{10} \div 1\dfrac{1}{5} =$

⑥ $\dfrac{5}{6} \div \dfrac{5}{12} \times 1\dfrac{1}{4} =$

⑦ $\dfrac{5}{8} \div \dfrac{2}{9} \div \dfrac{1}{4} =$

⑧ $4\dfrac{5}{13} \div 1\dfrac{6}{13} \times \dfrac{3}{13} =$

세 분수의 곱셈과 나눗셈

계산을 하세요.

① $1\frac{4}{5} \times \frac{5}{7} \div \frac{4}{9} =$

② $6 \times \frac{4}{9} \div \frac{5}{6} =$

③ $4\frac{7}{8} \div 2 \times \frac{4}{5} =$

④ $3\frac{3}{7} \div 6 \times \frac{7}{8} =$

⑤ $1\frac{2}{3} \div 1\frac{1}{9} \times 6 =$

⑥ $\frac{1}{5} \times \frac{1}{3} \div \frac{1}{9} =$

⑦ $9\frac{1}{4} \times \frac{1}{3} \div 2\frac{3}{5} =$

⑧ $\frac{5}{12} \div \frac{2}{5} \times 1\frac{3}{4} =$

우리 아이 첫 수학은
유자수 가 답이다

보드마카와
붙임 딱지로
즐겁게

내 아이에게
딱 맞는
엄마표 문제

재미있게
스스로
반복학습

방송에서 화제가 된 바로 그 교재!

생각과 자신감이 커지는 유아 자신감 수학!

실력도 탑! 재미도 탑!
사고력 수학의 으뜸!
TOP 사고력 수학

6~7세   7~8세   초1~2학년   초2~3학년

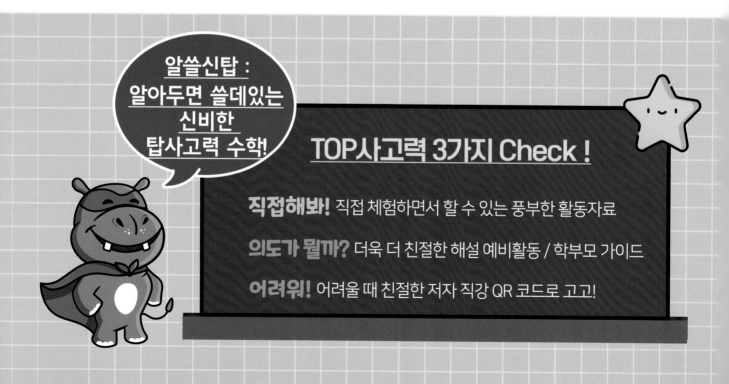

알쓸신탑 :
알아두면 쓸데있는
신비한
탑사고력 수학!

TOP사고력 3가지 Check !

직접해봐! 직접 체험하면서 할 수 있는 풍부한 활동자료

의도가 뭘까? 더욱 더 친절한 해설 예비활동 / 학부모 가이드

어려워! 어려울 때 친절한 저자 직강 QR 코드로 고고!

교과 과정
완벽 대비

초등 | 수학 전문가가
만든 연산 교재

원리셈

천종현 지음

정답

6학년 1

분수의 나눗셈

천종현수학연구소

10쪽

① $\frac{5}{2}$　② $\frac{7}{3}$

11쪽

① 3, 4, $\frac{3}{4}$　② 6, 7, $\frac{6}{7}$

③ 1, 3, $\frac{1}{3}$　④ 2, 5, $\frac{2}{5}$

⑤ 3, 5, $\frac{3}{5}$　⑥ 1, 6, $\frac{1}{6}$

⑦ 2, 3, $\frac{2}{3}$　⑧ 8, 5, $\frac{8}{5}$

⑨ 7, 2, $\frac{7}{2}$　⑩ 5, 4, $\frac{5}{4}$

12쪽

① $\frac{1}{4}$　② $\frac{7}{8}$

③ $\frac{5}{2}$ ($2\frac{1}{2}$)　④ $\frac{9}{4}$ ($2\frac{1}{4}$)

⑤ $\frac{11}{4}$ ($2\frac{3}{4}$)　⑥ $\frac{3}{10}$

⑦ $\frac{8}{3}$ ($2\frac{2}{3}$)　⑧ $\frac{9}{2}$ ($4\frac{1}{2}$)

⑨ $\frac{6}{5}$ ($1\frac{1}{5}$)　⑩ $\frac{10}{11}$

⑪ $\frac{12}{5}$ ($2\frac{2}{5}$)　⑫ $\frac{15}{22}$

13쪽

① 8, 4, $\frac{2}{9}$　② 5, 5, $\frac{1}{6}$

③ 6, 3, $\frac{2}{7}$　④ 4, 2, $\frac{2}{9}$

⑤ 8, 2, $\frac{4}{3}$　⑥ 15, 3, $\frac{5}{8}$

⑦ 20, 5, $\frac{4}{11}$　⑧ 21, 7, $\frac{3}{25}$

14쪽

① 12, $\frac{3}{14}$　② 6, $\frac{3}{8}$

③ 20, $\frac{5}{32}$　④ 24, $\frac{8}{27}$

⑤ 18, $\frac{2}{15}$　⑥ 28, $\frac{7}{20}$

⑦ 30, $\frac{5}{16}$　⑧ 30, $\frac{3}{14}$

15쪽

① $\frac{4}{9}$　② $\frac{2}{7}$

③ $\frac{1}{9}$　④ $\frac{3}{13}$

⑤ $\frac{1}{10}$　⑥ $\frac{8}{27}$

⑦ $\frac{5}{14}$　⑧ $\frac{3}{22}$

⑨ $\frac{7}{18}$　⑩ $\frac{13}{12}$ ($1\frac{1}{12}$)

⑪ $\frac{2}{7}$　⑫ $\frac{2}{3}$

⑬ $\frac{9}{8}$ ($1\frac{1}{8}$)　⑭ $\frac{5}{8}$

16쪽

① $\frac{3}{4}$　② $\frac{1}{6}$　③ $\frac{1}{9}$

④ $\frac{8}{9}$　⑤ $\frac{1}{7}$　⑥ $\frac{1}{2}$

⑦ $\frac{2}{5}$　⑧ $\frac{3}{4}$　⑨ $\frac{1}{30}$

⑩ $\frac{4}{5}$　⑪ $\frac{2}{25}$　⑫ $\frac{2}{3}$

⑬ $\frac{1}{30}$　⑭ $\frac{1}{8}$　⑮ $\frac{1}{3}$

17쪽

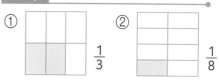

① $\frac{1}{3}$　② $\frac{1}{8}$

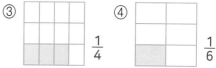

③ $\frac{1}{4}$　④ $\frac{1}{6}$

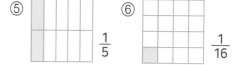

⑤ $\frac{1}{5}$　⑥ $\frac{1}{16}$

18쪽

① $\frac{4}{5}$　② $\frac{1}{6}$　③ $\frac{4}{3}$ ($1\frac{1}{3}$)

④ $\frac{1}{10}$　⑤ $\frac{5}{12}$　⑥ $\frac{3}{10}$

⑦ $\frac{1}{2}$　⑧ $\frac{3}{7}$　⑨ $\frac{1}{24}$

⑩ $\frac{3}{14}$　⑪ $\frac{4}{81}$　⑫ $\frac{2}{3}$

⑬ $\frac{3}{20}$　⑭ $\frac{5}{32}$　⑮ $\frac{9}{10}$

⑯ $\frac{1}{6}$　⑰ $\frac{3}{8}$　⑱ $\frac{5}{24}$

19쪽

① $\dfrac{7}{8}$ ② $1\dfrac{3}{5}$

③ $\dfrac{2}{5}$ ④ $\dfrac{8}{15}$

⑤ $\dfrac{1}{2}$ ⑥ $\dfrac{11}{40}$

⑦ $\dfrac{1}{2}$ ⑧ $\dfrac{12}{25}$

⑨ $\dfrac{7}{27}$ ⑩ $\dfrac{3}{8}$

20쪽

① $1\dfrac{1}{6}$

② $\dfrac{1}{2}$

③ $1\dfrac{3}{8}$

④ $\dfrac{3}{5}$

21쪽

① $\dfrac{13}{18}$ ② $\dfrac{1}{5}$ ⑨ $\dfrac{7}{12}$ ⑩ $\dfrac{4}{5}$

③ $\dfrac{7}{12}$ ④ $\dfrac{8}{21}$ ⑪ $\dfrac{5}{21}$ ⑫ $\dfrac{23}{27}$

⑤ $\dfrac{9}{16}$ ⑥ $\dfrac{11}{12}$ ⑬ $\dfrac{13}{32}$ ⑭ $\dfrac{15}{64}$

⑦ $\dfrac{5}{7}$ ⑧ $\dfrac{5}{18}$

22쪽

① $3\dfrac{1}{5} \div 6 = \dfrac{8}{15},\quad \dfrac{8}{15}$

② $\dfrac{8}{15} \div 6 = \dfrac{4}{45},\quad \dfrac{4}{45}$

③ $5\dfrac{1}{4} \div 9 = \dfrac{7}{12},\quad \dfrac{7}{12} \div 9 = \dfrac{7}{108},\quad \dfrac{7}{108}$

④ $6\dfrac{2}{3} \div 8 = \dfrac{5}{6},\quad \dfrac{5}{6} \div 8 = \dfrac{5}{48},\quad \dfrac{5}{48}$

23쪽

① $2 \div 3 = \dfrac{2}{3},\quad \dfrac{2}{3}$

② $\dfrac{6}{7} \div 3 = \dfrac{2}{7},\quad \dfrac{2}{7}$

③ $8\dfrac{1}{6} \div 14 = \dfrac{7}{12},\quad \dfrac{7}{12}$

④ $5\dfrac{1}{7} \div 4 = \dfrac{9}{7} = 1\dfrac{2}{7},\quad 1\dfrac{2}{7}$

24쪽

① $4 \div 3 = \dfrac{4}{3} = 1\dfrac{1}{3},\quad 1\dfrac{1}{3}$

② $1\dfrac{7}{8} \div 15 = \dfrac{1}{8},\quad \dfrac{1}{8}$

③ $4\dfrac{4}{5} \div 9 = \dfrac{8}{15},\quad \dfrac{8}{15}$

④ $9\dfrac{1}{6} \div 6 = \dfrac{55}{36} = 1\dfrac{19}{36},\quad 1\dfrac{19}{36}$

2주차 - 분수 나눗셈의 이해

26쪽

① 2 ② 5

③ 3 ④ 9

⑤ 6 ⑥ 7

⑦ 8 ⑧ 10

⑨ 12 ⑩ 11

27쪽

① 12 ② 16

③ 20 ④ 21

⑤ 18 ⑥ 10

⑦ 35 ⑧ 90

⑨ 36 ⑩ 72

28쪽

① 18 ② 16

③ 5 ④ 18

⑤ 8 ⑥ 14

⑦ 20 ⑧ 10

⑨ 24 ⑩ 21

⑪ 16 ⑫ 72

⑬ 75 ⑭ 52

29쪽

① 3, 1, 3 ② 6, 3, 2

③ 8, 2, 4 ④ 10, 2, 5

⑤ 14, 7, 2 ⑥ 16, 4, 4

30쪽

① $3, 2, 1\dfrac{1}{2}$ ② $5, 2, 2\dfrac{1}{2}$

③ $7, 3, 2\dfrac{1}{3}$ ④ $3, 10, \dfrac{3}{10}$

⑤ $4, 11, \dfrac{4}{11}$ ⑥ $13, 2, 6\dfrac{1}{2}$

⑦ $17, 7, 2\dfrac{3}{7}$ ⑧ $5, 9, \dfrac{5}{9}$

① 2 ② $1\frac{1}{2}$ ⑪ $\frac{1}{2}$ ⑫ 2

③ $1\frac{2}{3}$ ④ $2\frac{1}{2}$ ⑬ 9 ⑭ $\frac{1}{3}$

⑤ $\frac{3}{7}$ ⑥ 4

⑦ 2 ⑧ 3

⑨ $3\frac{2}{3}$ ⑩ 2

① $\frac{9}{18}, \frac{2}{18}, 9, 2, 4\frac{1}{2}$

② $\frac{9}{10}, \frac{6}{10}, 9, 6, 1\frac{1}{2}$

③ $\frac{32}{40}, \frac{25}{40}, 32, 25, 1\frac{7}{25}$

④ $\frac{7}{14}, \frac{2}{14}, 7, 2, 3\frac{1}{2}$

⑤ $\frac{49}{84}, \frac{48}{84}, 49, 48, 1\frac{1}{48}$

① $\frac{5}{6}, \frac{11}{10}, \frac{11}{12}$ ② $\frac{2}{7}, \frac{5}{1}, 1\frac{3}{7}$

③ $\frac{5}{6}, \frac{9}{1}, 7\frac{1}{2}$ ④ $\frac{9}{10}, \frac{5}{3}, 1\frac{1}{2}$

⑤ $\frac{3}{8}, \frac{13}{6}, \frac{13}{16}$ ⑥ $\frac{11}{20}, \frac{10}{7}, \frac{11}{14}$

⑦ $\frac{4}{15}, \frac{21}{10}, \frac{14}{25}$ ⑧ $\frac{16}{25}, \frac{35}{12}, 1\frac{13}{15}$

① $\frac{5}{12}$ ② $\frac{3}{8}$ ⑨ $3\frac{3}{4}$ ⑩ $\frac{3}{8}$

③ $1\frac{2}{5}$ ④ $\frac{2}{9}$ ⑪ $1\frac{1}{3}$ ⑫ $\frac{2}{3}$

⑤ $9\frac{1}{3}$ ⑥ $\frac{2}{3}$ ⑬ $4\frac{1}{2}$ ⑭ $1\frac{1}{3}$

⑦ $1\frac{4}{9}$ ⑧ $\frac{39}{64}$

① 9, 3, 5, 15 ② 15, 5, 9, 27

③ 8, 2, 7, 28 ④ 21, 7, 8, 24

⑤ 12, 3, 4, 16 ⑥ 10, 2, 5, 25

⑦ 20, 4, 11, 55 ⑧ 16, 4, 9, 36

① $5, \frac{3}{2}, 7\frac{1}{2}$ ② $4, \frac{8}{5}, 6\frac{2}{5}$

③ $2, \frac{5}{3}, 3\frac{1}{3}$ ④ $6, \frac{5}{4}, 7\frac{1}{2}$

⑤ $10, \frac{9}{4}, 22\frac{1}{2}$ ⑥ $12, \frac{8}{5}, 19\frac{1}{5}$

⑦ $15, \frac{11}{10}, 16\frac{1}{2}$ ⑧ $10, \frac{7}{2}, 35$

① $5\frac{1}{4}$ ② $4\frac{2}{3}$ ⑨ $2\frac{2}{9}$ ⑩ $14\frac{2}{3}$

③ $3\frac{3}{4}$ ④ 36 ⑪ $8\frac{8}{9}$ ⑫ $5\frac{5}{6}$

⑤ 35 ⑥ 6 ⑬ $12\frac{4}{5}$ ⑭ $13\frac{3}{4}$

⑦ 10 ⑧ $9\frac{3}{4}$

① $2 \times 4 = 8, 8$

② $8 \div \frac{1}{30} = 240, 240$

③ $8 \div \frac{4}{9} = 18, 18$

④ $\frac{2}{3} \div \frac{5}{6} = \frac{4}{5}, \frac{4}{5}$

① $6 \div \frac{3}{7} = 14, 14$

② $\frac{9}{2} \div \frac{9}{4} = 2, 2$

③ $20 \div \frac{8}{3} = 7\frac{1}{2}, 7\frac{1}{2}$

④ $\frac{6}{5} \times 2 \div \frac{3}{10} = 8, 8$

① $\frac{2}{5} \div \frac{4}{3} = \frac{3}{10}, \frac{3}{10}$

② $\frac{8}{15} \div \frac{16}{3} = \frac{1}{10}, \frac{1}{10}$

③ $\frac{16}{9} \div \frac{4}{18} = 8, 8$

④ $\frac{21}{4} \div \frac{7}{12} = 9, 9$

3주차 - 분수 나눗셈의 계산

42쪽
① $\dfrac{5}{2}$ ② $\dfrac{7}{4}$ │ ⑦ $\dfrac{1}{7}$ ⑧ $\dfrac{1}{2}$

③ $\dfrac{1}{3}$ ④ $\dfrac{4}{9}$ │ ⑨ $\dfrac{5}{19}$ ⑩ $\dfrac{5}{9}$

⑤ $\dfrac{3}{5}$ ⑥ $\dfrac{6}{5}$

43쪽
① $\dfrac{1}{4}$ ② $\dfrac{2}{7}$

③ 8 ④ 8

⑤ $6\dfrac{2}{3}$ ⑥ $\dfrac{3}{13}$

⑦ $1\dfrac{1}{5}$ ⑧ $4\dfrac{1}{3}$

⑨ $\dfrac{1}{24}$ ⑩ $6\dfrac{3}{4}$

44쪽
① $\dfrac{3}{4}$ ② 2

③ $\dfrac{1}{2}$ ④ $\dfrac{2}{3}$

⑤ $2\dfrac{11}{32}$ ⑥ $1\dfrac{2}{3}$

⑦ $1\dfrac{1}{8}$ ⑧ $\dfrac{1}{18}$

⑨ $\dfrac{3}{4}$ ⑩ $\dfrac{5}{6}$

⑪ $10\dfrac{1}{2}$ ⑫ $\dfrac{1}{4}$

⑬ $1\dfrac{1}{10}$ ⑭ $2\dfrac{2}{5}$

45쪽
① $\dfrac{6}{11}$ ② $\dfrac{3}{8}$ │ ⑦ $\dfrac{9}{28}$ ⑧ $\dfrac{8}{15}$

③ $\dfrac{2}{3}$ ④ $\dfrac{8}{31}$ │ ⑨ $\dfrac{11}{31}$ ⑩ $\dfrac{13}{44}$

⑤ $\dfrac{3}{14}$ ⑥ $\dfrac{5}{12}$

46쪽
① $2\dfrac{12}{17}$ ② $3\dfrac{3}{4}$

③ $1\dfrac{9}{40}$ ④ $\dfrac{15}{28}$

⑤ $2\dfrac{1}{3}$ ⑥ $\dfrac{5}{6}$

⑦ $1\dfrac{13}{15}$ ⑧ $\dfrac{31}{66}$

47쪽
① $4\dfrac{1}{6}$ ② 6

③ $4\dfrac{4}{7}$ ④ $4\dfrac{4}{5}$

⑤ $\dfrac{8}{11}$ ⑥ $3\dfrac{31}{35}$

⑦ $\dfrac{2}{9}$ ⑧ $\dfrac{7}{16}$

⑨ $\dfrac{2}{3}$ ⑩ $9\dfrac{1}{3}$

⑪ $1\dfrac{1}{35}$ ⑫ $\dfrac{3}{5}$

⑬ $\dfrac{7}{24}$ ⑭ $1\dfrac{19}{20}$

48쪽
① $3\dfrac{3}{4}$ ② $\dfrac{1}{14}$ │ ③ $4\dfrac{1}{5}$ ④ $1\dfrac{13}{42}$

$\dfrac{27}{32}$ $\dfrac{2}{21}$ │ $2\dfrac{2}{3}$ 4

$2\dfrac{25}{28}$ $\dfrac{3}{17}$ │ $\dfrac{9}{10}$ $1\dfrac{8}{25}$

49쪽
① $4 = 4$ │ ⑤ $2 = 2$

② $1\dfrac{1}{8} > \dfrac{8}{9}$ │ ⑥ $\dfrac{9}{20} < \dfrac{8}{15}$

③ $8 > 5$ │ ⑦ $1\dfrac{2}{5} < 1\dfrac{1}{2}$

④ $\dfrac{1}{2} < 2$

50쪽
① $\dfrac{5}{12},\ 5\dfrac{5}{6},\ \dfrac{1}{14}$ ② $\dfrac{2}{3},\ 3\dfrac{3}{4},\ \dfrac{8}{45}$

③ $\dfrac{7}{11},\ 1\dfrac{16}{33},\ \dfrac{3}{7}$ ④ $\dfrac{14}{15},\ 4\dfrac{1}{5},\ \dfrac{2}{9}$

⑤ $\dfrac{5}{6},\ 1\dfrac{3}{4},\ \dfrac{10}{21}$ ⑥ $\dfrac{3}{5},\ 1\dfrac{5}{16},\ \dfrac{16}{35}$

51쪽
① $\dfrac{2}{3},\ \dfrac{5}{6},\ \dfrac{4}{5}$ ② $\dfrac{1}{4},\ \dfrac{3}{8},\ \dfrac{2}{3}$

③ $\dfrac{7}{8},\ \dfrac{1}{4},\ \dfrac{7}{32}$ ④ $\dfrac{4}{5},\ \dfrac{6}{7},\ \dfrac{14}{15}$

52쪽

① $\dfrac{13}{14}$ ② $1\dfrac{7}{9}$ ⑦ $1\dfrac{3}{10}$ ⑧ $\dfrac{5}{24}$

③ $1\dfrac{8}{27}$ ④ $3\dfrac{3}{8}$ ⑨ $4\dfrac{1}{6}$ ⑩ $1\dfrac{4}{15}$

⑤ $\dfrac{3}{16}$ ⑥ $\dfrac{3}{10}$

53쪽

① $2\dfrac{6}{7}$ ② $2\dfrac{3}{4}$ ⑦ $2\dfrac{4}{5}$ ⑧ $6\dfrac{39}{56}$

③ $1\dfrac{13}{14}$ ④ $1\dfrac{1}{3}$ ⑨ $\dfrac{25}{84}$ ⑩ $1\dfrac{1}{14}$

⑤ $\dfrac{3}{14}$ ⑥ $1\dfrac{11}{15}$

54쪽

① $\dfrac{1}{6}$ ② $2\dfrac{1}{4}$ ③ 14

④ $\dfrac{1}{16}$ ⑤ $\dfrac{1}{12}$ ⑥ 22

55쪽

① $\dfrac{3}{4}$ ② 4 ③ $1\dfrac{1}{3}$

④ $\dfrac{4}{21}$ ⑤ $2\dfrac{4}{5}$ ⑥ $\dfrac{12}{13}$

⑦ $\dfrac{9}{14}$ ⑧ $\dfrac{5}{12}$ ⑨ $1\dfrac{1}{2}$

56쪽

① 2 ② $\dfrac{5}{6}$ ③ $\dfrac{4}{5}$

④ $1\dfrac{3}{5}$ ⑤ $\dfrac{3}{5}$ ⑥ $\dfrac{24}{25}$

⑦ $\dfrac{2}{3}$ ⑧ $1\dfrac{5}{7}$ ⑨ $1\dfrac{1}{5}$

4주차 - 도전! 계산왕

58쪽

① $\dfrac{2}{15}$ ② $\dfrac{1}{10}$

③ $1\dfrac{1}{5}$ ④ $9\dfrac{1}{2}$

⑤ $\dfrac{5}{9}$ ⑥ $1\dfrac{2}{13}$

⑦ $2\dfrac{1}{7}$ ⑧ $4\dfrac{1}{2}$

⑨ $\dfrac{1}{3}$ ⑩ $6\dfrac{6}{7}$

⑪ $\dfrac{13}{14}$ ⑫ $\dfrac{13}{22}$

59쪽

① $\dfrac{1}{9}$ ② $\dfrac{2}{9}$

③ 2 ④ 3

⑤ $\dfrac{1}{4}$ ⑥ $\dfrac{4}{9}$

⑦ 20 ⑧ $\dfrac{2}{15}$

⑨ $1\dfrac{2}{5}$ ⑩ $\dfrac{9}{10}$

⑪ 10 ⑫ $\dfrac{2}{7}$

60쪽

① $\dfrac{1}{24}$ ② $\dfrac{1}{15}$

③ $1\dfrac{1}{2}$ ④ $4\dfrac{1}{2}$

⑤ $\dfrac{2}{3}$ ⑥ $\dfrac{8}{9}$

⑦ $\dfrac{1}{16}$ ⑧ $1\dfrac{1}{2}$

⑨ $1\dfrac{3}{4}$ ⑩ $1\dfrac{13}{22}$

⑪ $\dfrac{7}{27}$ ⑫ $3\dfrac{3}{4}$

61쪽

① $\dfrac{2}{9}$ ② $\dfrac{1}{12}$

③ $1\dfrac{3}{5}$ ④ $3\dfrac{1}{5}$

⑤ $\dfrac{3}{5}$ ⑥ $\dfrac{3}{4}$

⑦ 40 ⑧ $\dfrac{1}{64}$

⑨ $\dfrac{11}{12}$ ⑩ 6

⑪ $1\dfrac{13}{15}$ ⑫ $\dfrac{3}{10}$

62쪽

① $\dfrac{1}{10}$ ② $\dfrac{1}{16}$

③ $1\dfrac{1}{3}$ ④ $6\dfrac{1}{4}$

⑤ $\dfrac{7}{15}$ ⑥ $1\dfrac{1}{3}$

⑦ $1\dfrac{31}{32}$ ⑧ $\dfrac{4}{5}$

⑨ 32 ⑩ $\dfrac{1}{14}$

⑪ $\dfrac{1}{12}$ ⑫ $6\dfrac{3}{10}$

64쪽

① $\dfrac{1}{9}$ ② $\dfrac{3}{22}$

③ $1\dfrac{3}{13}$ ④ $8\dfrac{5}{9}$

⑤ $\dfrac{7}{40}$ ⑥ $1\dfrac{3}{7}$

⑦ $24\dfrac{1}{2}$ ⑧ $\dfrac{1}{10}$

⑨ $\dfrac{7}{12}$ ⑩ $8\dfrac{1}{4}$

⑪ $5\dfrac{2}{5}$ ⑫ $\dfrac{2}{11}$

66쪽

① $\dfrac{4}{75}$ ② $\dfrac{3}{7}$

③ $1\dfrac{1}{7}$ ④ $15\dfrac{5}{18}$

⑤ $\dfrac{7}{8}$ ⑥ $\dfrac{4}{5}$

⑦ $7\dfrac{1}{2}$ ⑧ $\dfrac{7}{13}$

⑨ $1\dfrac{1}{6}$ ⑩ $6\dfrac{21}{64}$

⑪ $\dfrac{2}{11}$ ⑫ $1\dfrac{1}{4}$

63쪽

① $\dfrac{9}{50}$ ② $\dfrac{3}{28}$

③ $3\dfrac{4}{7}$ ④ $5\dfrac{5}{8}$

⑤ $\dfrac{4}{9}$ ⑥ $\dfrac{3}{4}$

⑦ $22\dfrac{1}{2}$ ⑧ $10\dfrac{1}{2}$

⑨ $2\dfrac{47}{50}$ ⑩ $2\dfrac{1}{6}$

⑪ $1\dfrac{3}{5}$ ⑫ $1\dfrac{5}{34}$

65쪽

① $\dfrac{5}{27}$ ② $\dfrac{3}{8}$

③ $1\dfrac{1}{3}$ ④ $5\dfrac{3}{5}$

⑤ $\dfrac{9}{16}$ ⑥ $\dfrac{1}{4}$

⑦ $13\dfrac{1}{3}$ ⑧ $\dfrac{1}{20}$

⑨ $4\dfrac{1}{2}$ ⑩ $1\dfrac{4}{5}$

⑪ $13\dfrac{1}{2}$ ⑫ $\dfrac{15}{16}$

67쪽

① $\dfrac{5}{42}$ ② $\dfrac{3}{28}$

③ $1\dfrac{1}{6}$ ④ $7\dfrac{1}{12}$

⑤ $\dfrac{2}{9}$ ⑥ $2\dfrac{11}{17}$

⑦ $2\dfrac{1}{4}$ ⑧ $\dfrac{1}{24}$

⑨ $6\dfrac{1}{2}$ ⑩ $\dfrac{4}{23}$

⑪ $1\dfrac{1}{4}$ ⑫ $3\dfrac{6}{7}$

5주차 - 세 분수의 곱셈과 나눗셈

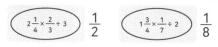

70쪽

① 1
② $1\frac{1}{3}$
③ 2
④ $\frac{1}{9}$
⑤ $\frac{2}{5}$
⑥ $2\frac{1}{3}$

71쪽

① $\frac{5}{6}$
② 1
③ $4\frac{2}{3}$
④ $\frac{1}{2}$
⑤ $1\frac{1}{4}$
⑥ $\frac{9}{10}$

72쪽

① $\frac{3}{5}$
② $\frac{1}{4}$
③ $\frac{5}{16}$
④ $\frac{8}{27}$
⑤ $\frac{16}{25}$
⑥ $\frac{15}{56}$

73쪽

① $\frac{7}{27}$
② 9
③ $7\frac{1}{32}$
④ $\frac{12}{49}$
⑤ $\frac{11}{80}$
⑥ $\frac{25}{27}$

74쪽

① $\frac{15}{28}$
② $3\frac{3}{7}$
③ $\frac{3}{5}$
④ $1\frac{13}{35}$
⑤ $10\frac{34}{75}$
⑥ $\frac{5}{12}$
⑦ $3\frac{3}{5}$

75쪽

① $\frac{45}{56}$
② $10\frac{6}{13}$
③ $4\frac{4}{27}$
④ $1\frac{1}{9}$
⑤ $9\frac{4}{5}$
⑥ $\frac{2}{21}$
⑦ $2\frac{14}{27}$

76쪽

① $\frac{9}{16}$
② $\frac{8}{21}$
③ $\frac{7}{16}$
④ $1\frac{1}{7}$
⑤ $\frac{7}{200}$
⑥ $\frac{9}{35}$

77쪽

① $\frac{55}{84}$
② $2\frac{2}{15}$
③ $1\frac{5}{6}$
④ $2\frac{5}{11}$
⑤ $12\frac{2}{15}$
⑥ $\frac{1}{7}$
⑦ $2\frac{4}{25}$

78쪽

① $1\frac{1}{5}$
② $\frac{7}{10}$
③ $1\frac{1}{2}$
④ $\frac{2}{27}$
⑤ $\frac{2}{5}$
⑥ $\frac{1}{33}$

79쪽

$\left(2\frac{1}{4} \times \frac{2}{3} \div 3\right)$ 〈ㅇ〉 — $\frac{1}{2}$　　$\left(1\frac{3}{4} \times \frac{1}{7} \div 2\right)$ 〈ㅇ〉 — $\frac{1}{8}$

$2\frac{2}{13} \div \frac{7}{13} \times \frac{3}{16}$ — $\frac{3}{4}$　　$2\frac{2}{9} \div \frac{11}{12} \times \frac{3}{20}$ — $\frac{4}{11}$

$3\frac{1}{7} \div \frac{11}{12} \times \frac{1}{8}$ — $\frac{3}{7}$　　$\left(\frac{1}{30} \times 2 \div 1\frac{1}{15}\right)$ 〈ㅇ〉 — $\frac{1}{16}$

$5\frac{5}{6} \times \frac{6}{7} \div 2$ — $2\frac{1}{2}$　　$\left(\frac{8}{25} \times 3 \div 4\frac{4}{5}\right)$ 〈ㅇ〉 — $\frac{1}{5}$

80쪽

① $4\frac{5}{7}$, 3, $\frac{1}{8}$, $12\frac{4}{7}$
④ $4\frac{1}{6}$, 3, $\frac{1}{4}$, $5\frac{5}{9}$
② 2, $1\frac{1}{5}$, $\frac{2}{3}$, $3\frac{3}{5}$
⑤ $7\frac{4}{5}$, $\frac{3}{4}$, 8, $83\frac{1}{5}$
③ $6\frac{3}{7}$, $\frac{5}{6}$, 2, $15\frac{3}{7}$
⑥ 15, $2\frac{1}{5}$, $\frac{9}{10}$, $36\frac{2}{3}$

순서가 바뀔 수도 있습니다. 채점은 마지막 정답을 기준으로 해 주세요.

81쪽

① $\frac{7}{10}$, $4\frac{2}{7}$, 3, $\frac{49}{100}$
④ $\frac{3}{4}$, 6, $5\frac{2}{3}$, $\frac{3}{136}$
② $2\frac{4}{5}$, $\frac{6}{7}$, 12, $\frac{1}{5}$
⑤ 4, $4\frac{3}{8}$, $\frac{8}{9}$, $\frac{256}{315}$
③ $1\frac{1}{2}$, 4, $\frac{2}{5}$, $\frac{3}{20}$
⑥ $2\frac{2}{5}$, $\frac{3}{4}$, 4, $\frac{9}{20}$

순서가 바뀔 수도 있습니다. 채점은 마지막 정답을 기준으로 해 주세요.

① $1\frac{3}{4} \div 2\frac{1}{2} = \frac{7}{10}$, $\frac{7}{10}$

② $\frac{7}{10} \times 4 = 2\frac{4}{5}$, $2\frac{4}{5}$

③ $\frac{1}{10} \div \frac{9}{20} \times 10 = 2\frac{2}{9}$, $2\frac{2}{9}$

④ $3\frac{4}{5} \div \frac{4}{5} \times 6\frac{1}{2} = 30\frac{7}{8}$, $30\frac{7}{8}$

① $2\frac{5}{6} \div \frac{3}{4} \times 5 = 18\frac{8}{9}$, $18\frac{8}{9}$

② $12000 \div 1\frac{1}{2} \times 4 = 32000$, 32000

③ $4\frac{7}{8} \div 4\frac{1}{3} \times 20 = 22\frac{1}{2}$, $22\frac{1}{2}$

④ $2\frac{2}{3} \div 6\frac{3}{5} \times 8\frac{1}{4} = 3\frac{1}{3}$, $3\frac{1}{3}$

① $210 \div 2\frac{1}{2} \times 4 = 336$, 336

② $1\frac{7}{8} \div \frac{5}{6} \div \frac{5}{6} = 2\frac{7}{10}$, $2\frac{7}{10}$

③ $30 \div \frac{11}{12} \div 3 = 10\frac{10}{11}$, $10\frac{10}{11}$

④ $3\frac{15}{16} \div 1\frac{7}{8} \div 1\frac{7}{8} = 1\frac{3}{25}$, $1\frac{3}{25}$

6주차 - 도전! 계산왕

① $27\frac{23}{27}$	④ $\frac{5}{7}$	⑦ $\frac{9}{10}$
② $2\frac{1}{4}$	⑤ $\frac{8}{15}$	⑧ $1\frac{1}{2}$
③ $1\frac{9}{10}$	⑥ $\frac{1}{9}$	

① $3\frac{1}{5}$	④ $\frac{3}{5}$	⑦ 1
② 6	⑤ 40	⑧ $1\frac{1}{4}$
③ $1\frac{1}{8}$	⑥ 14	

① $9\frac{1}{6}$	④ $\frac{5}{8}$	⑦ $\frac{5}{12}$
② $3\frac{3}{14}$	⑤ $\frac{2}{5}$	⑧ $3\frac{3}{4}$
③ $2\frac{1}{6}$	⑥ $\frac{4}{9}$	

① $3\frac{5}{6}$	④ $\frac{2}{9}$	⑦ $1\frac{13}{15}$
② $1\frac{1}{2}$	⑤ $1\frac{2}{3}$	⑧ $1\frac{1}{8}$
③ $1\frac{13}{21}$	⑥ $2\frac{11}{12}$	

① $7\frac{5}{7}$	④ $\frac{1}{7}$	⑦ $1\frac{1}{3}$
② $20\frac{1}{4}$	⑤ $3\frac{1}{9}$	⑧ $1\frac{1}{7}$
③ $\frac{4}{5}$	⑥ $\frac{1}{7}$	

① $16\frac{1}{5}$	④ $\frac{1}{25}$	⑦ $\frac{1}{6}$
② $3\frac{6}{7}$	⑤ $\frac{3}{8}$	⑧ $1\frac{1}{8}$
③ $\frac{11}{16}$	⑥ $2\frac{1}{2}$	

① $11\frac{11}{24}$	④ $\frac{3}{28}$	⑦ $3\frac{3}{5}$
② $1\frac{1}{9}$	⑤ 10	⑧ 4
③ $\frac{3}{32}$	⑥ $\frac{7}{36}$	

① $1\frac{1}{16}$	④ $\frac{7}{64}$	⑦ $2\frac{1}{2}$
② $16\frac{2}{3}$	⑤ $\frac{1}{3}$	⑧ $2\frac{5}{8}$
③ $\frac{3}{7}$	⑥ $3\frac{6}{7}$	

① $1\frac{5}{6}$	④ $\frac{5}{27}$	⑦ $11\frac{1}{4}$
② $9\frac{3}{5}$	⑤ $\frac{15}{28}$	⑧ $\frac{9}{13}$
③ $2\frac{3}{20}$	⑥ $2\frac{1}{2}$	

① $2\frac{25}{28}$	④ $\frac{1}{2}$	⑦ $1\frac{29}{156}$
② $3\frac{1}{5}$	⑤ 9	⑧ $1\frac{79}{96}$
③ $1\frac{19}{20}$	⑥ $\frac{3}{5}$	

총괄 테스트

원리셈 6학년 　이름 　점수

1권 분수의 나눗셈

01 사과를 똑같이 나누어 먹을 때 한 사람이 먹는 사과의 양을 구하는 나눗셈식을 쓰고, 몫을 분수로 나타내세요.

① 8개 3명 　$8 \div 3 = \dfrac{8}{3}$

② 7개 5명 　$7 \div 5 = \dfrac{7}{5}$

02 빈 곳에 알맞은 수를 써넣어 식을 완성하세요.

① $\dfrac{20 \div 4}{36} = \dfrac{5}{36}$

② $\dfrac{21 \div 3}{24} = \dfrac{7}{24}$

03 계산을 하세요.

① $8 \div \dfrac{1}{9} = 72$　② $4 \div \dfrac{1}{5} = 20$

③ $\dfrac{8}{9} \div \dfrac{4}{9} = 2$　④ $\dfrac{7}{3} \div \dfrac{7}{9} = 3$

04 빈 곳에 알맞은 수를 써넣어 식을 완성하세요.

① $\dfrac{4}{5} \times \dfrac{12}{13} = \dfrac{13}{15}$

② $\dfrac{2}{7} \div \dfrac{3}{5} = \dfrac{2}{7} \times \dfrac{5}{3} = \dfrac{10}{21}$

05 계산을 하세요.

① $4\dfrac{2}{5} = 24\dfrac{1}{11}$

② $9\dfrac{1}{3} \div \dfrac{1}{6} = 8$

③ $4 \div 1\dfrac{3}{5} = 2\dfrac{1}{2}$

④ $4\dfrac{2}{3} \div \dfrac{7}{8} = 5\dfrac{1}{3}$

06 5장의 수 카드를 한 번씩 사용하여 계산 결과가 가장 작은 나눗셈식을 만들고 답을 구하세요.

1	2	4	7	9

$\dfrac{1}{9} \div 7\dfrac{2}{4} = \dfrac{2}{135}$

07 나눗셈을 곱셈으로 고쳐서 계산하세요.

① $\dfrac{3}{5} \div \dfrac{5}{9} = \dfrac{3}{5} \times \dfrac{9}{5} = 3\dfrac{1}{2}$

② $\dfrac{2}{7} \div \dfrac{8}{21} = \dfrac{2}{7} \times \dfrac{21}{8} = \dfrac{4}{3} = \dfrac{3}{5}$

08 계산을 하세요.

① $\dfrac{7}{8} \div 7 = \dfrac{1}{8}$

② $\dfrac{5}{7} \div 5 = \dfrac{5}{7}$

③ $\dfrac{7}{12} \div 6 = \dfrac{7}{10}$

④ $4\dfrac{1}{15} \div 5 = 10\dfrac{1}{6}$

09 계산을 하세요.

① $3\dfrac{3}{5} \div 7 \div 2\dfrac{1}{3} = 1\dfrac{1}{5}$

② $\dfrac{4}{7} \div \dfrac{5}{14} \times 2\dfrac{1}{3} = 1\dfrac{1}{15}$

10 둘레의 길이가 $16\dfrac{2}{3}$ cm인 정십오각형의 한 변의 길이는 몇 cm일까요?

식: $6\dfrac{2}{3} \div 15 = \dfrac{4}{9}$　답: $\dfrac{4}{9}$ cm

---

11 사과를 똑같이 나누어 먹을 때 한 사람이 먹는 사과의 양을 구하는 나눗셈식을 쓰고, 몫을 분수로 나타내세요.

① 5개 9명 　$5 \div 9 = \dfrac{5}{9}$

② 3개 8명 　$3 \div 8 = \dfrac{3}{8}$

12 빈 곳에 알맞은 수를 써넣어 식을 완성하세요.

① $\dfrac{21 \div 7}{35} = \dfrac{3}{35}$

② $\dfrac{20 \div 5}{45} = \dfrac{4}{45}$

13 계산을 하세요.

① $7 \div \dfrac{1}{8} = 56$　② $4 \div \dfrac{1}{11} = 44$

③ $\dfrac{5}{7} \div \dfrac{20}{7} = \dfrac{1}{4}$　④ $\dfrac{7}{3} \div \dfrac{7}{9} = 3$

14 빈 곳에 알맞은 수를 써넣어 식을 완성하세요.

① $\dfrac{5}{7} \div \dfrac{15}{16} = \dfrac{5}{7} \times \dfrac{16}{15} = \dfrac{16}{21}$

② $\dfrac{3}{8} \div \dfrac{6}{7} = \dfrac{3}{8} \times \dfrac{7}{6} = \dfrac{7}{16}$

15 계산을 하세요.

① $7\dfrac{1}{5} \div \dfrac{6}{13} = 15\dfrac{3}{5}$

② $8\dfrac{4}{5} \div 1\dfrac{5}{6} = 4\dfrac{4}{5}$

③ $9 \div 3\dfrac{3}{5} = 2\dfrac{1}{2}$

④ $5\dfrac{5}{6} \div \dfrac{7}{9} = 7\dfrac{1}{2}$

16 5장의 수 카드를 한 번씩 사용하여 계산 결과가 가장 작은 나눗셈식을 만들고 답을 구하세요.

2	4	5	7	8

$\dfrac{2}{8} \div 7\dfrac{4}{5} = \dfrac{5}{156}$

17 나눗셈을 곱셈으로 계산하세요.

① $\dfrac{4}{7} \times \dfrac{5}{8} \div \dfrac{5}{2} = \dfrac{4}{7} \times \dfrac{5}{8} \times \dfrac{5}{2} = \dfrac{25}{28}$

② $\dfrac{3}{5} \div \dfrac{7}{20} \times 4 = \dfrac{3}{5} \times \dfrac{20}{7} \times 4 = \dfrac{48}{49}$

18 계산을 하세요.

① $\dfrac{4}{9} \div 8 = \dfrac{1}{18}$

② $3 \div \dfrac{9}{5} = 1\dfrac{2}{3}$

③ $\dfrac{6}{11} \div \dfrac{3}{8} = 1\dfrac{5}{11}$

④ $\dfrac{4}{13} \div \dfrac{9}{7} = 5\dfrac{7}{13}$

19 계산을 하세요.

① $9\dfrac{2}{7} \div 4 \div 3\dfrac{1}{5} = 2\dfrac{9}{28}$

② $\dfrac{2}{9} \div \dfrac{8}{27} \times \dfrac{5}{7} = \dfrac{15}{28}$

20 자동차가 $3\dfrac{1}{3}$ 시간 동안 300 km를 달렸습니다. 같은 빠르기로 4시간을 달리면 몇 km를 갈 수 있을까요?

식: $300 \div 3\dfrac{1}{3} \times 4 = 360$　답: 360 km

원리
이해

다양한
계산 방법

충분한
연습

성취도
확인

그 많은 문제를 풀고도 몰랐던

초등 사고력 수학의 원리 1
초등 사고력 수학의 전략 2

● 초등 사고력 수학의 원리 1

원리는 수학의 시작

● 초등 사고력 수학의 전략 2

문제해결은 수학의 끝

✓ **진정한 수학 실력은** 원리의 이해와 문제 해결 전략에서 나온다.

✓ **수학의 시작과 끝을** 제대로 알고 수학 실력 올리자!

✓ **재미있게 읽을 수 있는** 17년 초등 사고력 수학의 노하우

천종현수학연구소의  흐름도

4세	5세	6세	7세	초1

유아 자신감 수학 : 유아 수학 입문서
- 처음에는 엄마, 아빠와 함께, 나중에는 아이 스스로
- 개념의 이해부터 적용까지

유아 자신감 수학 만 3세 / 유아 자신감 수학 만 4세 / 유아 자신감 수학 만 5세

원리셈 : 기본 연산 학습서
- 매일 10분씩 원리로부터 실력까지 연산의 완성!!
- 다양한 형태의 문제와 충분한 연습으로 쉽고 재미있게

키즈 원리셈 5, 6세 / 키즈 원리셈 6, 7세 / 키즈 원리셈 예비 초등 7, 8세 / 초등 원리셈 초등1

TOP사고력 : 사고력 수학의 으뜸
- 수학적 직관력 / 문제 이해력 기르기
- 영역별 나선형식 반복 학습 구조

탑사고력 K 단계 / 탑사고력 P 단계 / 탑사고력 A 단계

초2	초3	초4	초5	초6

초등 원리셈 초등2 / 초등 원리셈 초등3 / 초등 원리셈 초등4 / 초등 원리셈 초등5 / 초등 원리셈 초등6

탑사고력 A 단계 / 탑사고력 B 단계

TOP사고력 : 사고력 수학의 으뜸
- 수학적 직관력 / 문제 이해력 기르기
- 영역별 나선형식 반복 학습 구조

초등 사고력 수학의 원리 및 전략
- 원리의 이해와 문제 해결 전략을 통한 진정한 실력 향상
- 재미있게 읽을 수 있는 초등 사고력 수학의 노하우

초등사고력 수학의 원리 / 초등사고력 수학의 전략